APRENDER GRAFOLOGÍA

Títulos publicados:

1. F. Beltri - Aprender a negociar
2. E. Ronco y E. Lladó - Aprender a gestionar el cambio
3. J. M. Martínez Selva - Aprender a comunicarse en público
4. G. Sanz - Aprender a redactar notas
5. F. Gallego - Aprender a generar ideas
6. P. Martínez Escribá - Aprender a vender
7. R. Goberna - Aprender a liderar equipos
8. J. López e I. Leal - Aprender a planificar la formación
9. C. Golanó y R. Flores-Guerrero - Aprender a redactar documentos empresariales
10. Ll. Casado - Aprender a organizar el tiempo
11. C. Muñoz - Aprender idiomas
12. E. Vinyamata - Aprender mediación
13. C. Carreras - Aprender a formar
14. M. Urpí - Aprender comunicación no verbal
15. J. Puga y R. Belmonte - Aprender a gestionar tus ahorros
16. R. Saco y M. Mazza - Aprender a crear una microempresa
17. J. López e I. Leal - Aprender liderazgo político
18. P. Martínez Escribá - Aprender a vender en tienda
19. N. Saló - Aprender a comunicarse en las organizaciones
20. M. Martínez y M. Salvador - Aprender a trabajar en equipo
21. N. Arqués - Aprender comunicación digital
22. L. Berastain - Aprender a crear una empresa turística
23. R. Adell - Aprender marketing
24. F. Velasco - Aprender a elaborar un plan de negocio
26. M. Priante - Aprender grafología

APRENDER GRAFOLOGÍA

Matilde Priante

PAIDÓS

Barcelona
Buenos Aires
México

Cubierta de Ferran Cartes
Montse Plass

ISBN: 978-84-493-2002-6
Depósito legal: B. 7.988/2007

Impreso en Novagràfik, S.L.
Vivaldi, 5 - 08110 Montcada i Reixac (Barcelona)

Impreso en España - Printed in Spain

SUMARIO

AGRADECIMIENTOS

Al Centre d'Estudis de Valldoreix, Valldaurex. Especialmente a Juanjo Cortes, Francesc y Marc Orriols, Adolfo Priante y muchos más. Por su calurosa acogida desde un principio, por animarme a abrir una nueva área de aplicación de la grafología. Revolver y estudiar manuscritos del magnífico fondo documental de nuestra vieja y querida parroquia es un placer; poder participar en las conferencias y cursos impartidos, un disfrute y un reto, puesto que me ha dado la posibilidad de seguir desarrollando y divulgando la técnica grafológica desde otros enfoques y en entornos diferentes.

Gracias a todos.

1

¿POR QUÉ NOS ATRAE LA GRAFOLOGÍA?

La verdad es que no sé cuándo fue la primera vez que tuve conocimiento de la existencia de la grafología. Recuerdo que hace muchos años, cuando era muy joven, leí *Los cipreses creen en Dios*, de José Maria Gironella; él la mencionaba y relacionaba el carácter de algunos de los personajes del libro con su forma de escribir, e incluso uno de ellos era un apasionado de esta técnica.

Cuando yo tenía 16 años una monja de mi colegio criticó duramente mi letra; me dijo que era fea, ilegible, sin fuerza y no sé cuántas cosas más. Soy consciente de que mi letra nunca ha sido estéticamente bonita, pero creo que aquella monja tampoco fue justa. En aquel momento me dije: «Enviaré una muestra de mi letra a un grafólogo, seguro que él sabrá valorarla». Tengo muy presente este intento de reivindicación. Supongo que tal reacción se debió a que por esos tiempos dos consultorios «sentimentales femeninos» de la radio a los que mi madre era muy aficionada —Elena Francis, en Radio Barcelona, y Montserrat Fortuny, en Radio España— ofrecían la posibilidad de llevar a cabo un análisis grafológico de la letra. Pero no lo hice. Sin embargo, unos pocos años más tarde envié una muestra de mi letra a la revista *Triunfo*, donde un grafólogo —creo recordar que se llamaba profesor Sesma, seguramente un pseudónimo— realizaba estudios grafológicos de las muestras que los lectores le enviaban. Entonces salió publicado mi análisis y me vi muy bien reflejada en él, si bien sólo eran cuatro líneas. A pesar de que lo guardé durante mucho tiempo, actualmente no lo tengo.

Unos trece años después conocí a Isabel Acerete. Entablamos una fuerte amistad y ella, que ya dominaba la técnica grafológica, me comentó que había descubierto una escuela, el Instituto Belpost, donde se impartían unos cursos de grafología. Me animó a inscribirme, y así lo hice, más por distracción que por verdadero interés en la materia. De esta manera entré en la grafología en febrero de 1980, y me gustó tanto que decidí dedicarme a ella.

¿Qué es lo que atrae de la grafología? Es cierto que muchas personas empiezan a estudiar grafología y la abandonan poco después. Al iniciar un curso, el número de personas que se inscribe en él puede ser elevado y también puede ser destacado el número de personas que abandonan al cabo de un tiempo. Sin embargo, las que se quedan suelen seguir relacionadas de algún modo con esta técnica y para siempre, ya que es imposible separarse de ella. ¿Por qué ocurre esto? Considero que es porque la grafología nos da el medio, la llave, para comprender a los demás y comprendernos a nosotros mismos. Todos somos algo narcisistas, nos encanta mirarnos una y otra vez, conocernos, comprendernos y, al mismo tiempo, preguntarnos por qué actuamos de una manera y no de otra, por qué una y otra vez, ante situaciones similares, actuamos de la misma forma, a pesar de habernos prometido que no lo haríamos. Aunque podemos modificar el comportamiento y algunas actitudes, la base, el tronco, es siempre la misma. Podemos recortar las ramas de un árbol, darle una determinada forma, pero las hojas, las flores y los frutos siempre serán los mismos.

Todo esto lo observamos también en el resto de las personas y entonces nos preguntamos por qué actúan de una manera y no de otra, pues nos sorprende que caigan una y otra vez en los mismos errores, que repitan vivencias que en ocasiones no son muy agradables; nos preguntamos por qué unas personas se dedican a unas actividades que a lo mejor a nosotros nos parecen poco o nada atractivas. En resumen, nos cuesta encontrar la razón de cualquiera de esos comportamientos, aficiones y reacciones. Y, de repente, un día una técnica nos abre las puertas para dar respuesta a todas estas preguntas sobre el comportamiento ajeno y el nuestro.

Lógicamente, la capacidad de alcanzar esta comprensión nos da un «poder», puesto que un rápido análisis de la letra de una persona nos permite hacernos una idea general, y por supuesto algo superficial, de su personalidad.

Cuando la gente se inicia en la grafología, es habitual que después de unas cuantas clases empiece a disfrutar de ese conocimiento e intente demostrar sus habilidades en cualquier ocasión. Al cabo de unas clases más, esa audacia desaparece y la disposición a describir tan alegremente la personalidad de cualquier individuo que se preste a ello es mucho menor. A medida que se avanza en el conocimiento del método del análisis grafológico, el alumno va viendo la complejidad de las personas. Entonces es realmente consciente de lo arriesgado que es aventurar una descripción psicológica de alguien sin conocer todavía todo el proceso analítico de la escritura y sin dedicar el tiempo necesario a su análisis, que desde luego es importante.

Esta actitud es habitual en el proceso de descubrimiento de la grafología y en el proceso formativo. Pero hay que superar los primeros momentos de entusiasmo y audacia, en los que se cree que ya se domina la técnica para analizar, describir y comprender a los semejantes. Sin embargo, una vez superada la euforia, el alumno descubre un procedimiento complejo que requiere tiempo y dedicación, momento en el cual algunas personas abandonan el aprendizaje. A partir de aquí se entra en el período de dependencia total, que lleva a muchos alumnos, una vez acabado el curso de formación básica, a continuar con las especializaciones, hasta que en algunas ocasiones es el propio profesor quien debe despegarse de esos alumnos y animarles a continuar su camino en solitario.

Desde el principio de los tiempos el ser humano ha querido comunicarse con sus semejantes. No se sabe cuándo se inició la expresión, la comunicación verbal, así como tampoco se ha llegado a establecer con exactitud cuándo se inició la escritura, el otro medio de comunicación, que además permite dejar constancia de algo, o al menos del paso de alguien. Esta necesidad ancestral de dejar una imprenta escrita del paso de un individuo por un determinado lugar ha perdurado desde los primeros hombres que dibujaron en las cuevas hasta los graffiti actuales, pasando por las siempre presentes firmas en cualquier pared, fachada o monumento para dejar constancia de que por allí pasaron en tal fecha «José y su pareja». El individuo escribe por instinto, aunque sólo sea un garabato en un papel o en cualquier superficie, y eso lo podemos comprobar dándole un lápiz a un niño: realizará cualquier trazo allí donde pueda.

Parece que la primera constancia que tenemos de un texto escrito, o al menos algo similar, la encontramos en unas tablillas descubiertas en Tell Brack (Siria). Se trata de dos tablillas rectangulares que se habrían elaborado en el IV milenio a.C. También en muchos lugares se han localizado «petroglifos», rasgos y trazos impresos en piedras de los que, aunque se les ha dado todo tipo de interpretaciones, no hay nada claro ni definido. Lo único que se sabe es que pueden ser el precedente de la escritura, pero, a pesar de que se han hecho todo tipo de especulaciones sobre su significado, no se han podido descifrar de forma definitiva. Por ejemplo, cerca de Vic (Barcelona), en la localidad de Savasona, se halla en medio de un bosque un conjunto de piedras de formas extrañas en las que hay una gran cantidad de petroglifos. El lugar es de lo más inquietante: al lado mismo de la carretera y de la civilización, este bosque nos transporta durante un momento a otros tiempos; es imposible abstenerse de tocar esos signos que unas personas dejaron allí hace millones de años como constancia de quién sabe qué.

La escritura ha ido evolucionando a través de los tiempos, de la ideográfica a la fonética, sin que esa evolución haya sido paralela a la evolución global de la humanidad, ya que aquélla se ha desarrollado siempre en función de la evolución cultural de cada pueblo. Así, los mayas escribían cuando Europa aún estaba en las primitivas etapas de la evolución, y posteriormente muchas etnias han seguido con sus escrituras ideográficas cuando en Europa ya existía la imprenta, y puede que aún sigan con ellas en la actualidad, cuando nosotros nos comunicamos a través de Internet.

Hace casi veinte años, en un congreso de grafología celebrado en Madrid, un ponente vaticinó que la profesión peligraba porque el ordenador sustituiría la expresión escrita —y eso que entonces aún no existía Internet—. También hoy en día hay quien afirma que los libros, la música en directo e incluso el cine están en peligro, ya que a todo ello se puede acceder a través de Internet. Yo espero que se equivoquen. Es cierto que la comunicación escrita tal como la entendíamos hace tan sólo unos años ha cambiado. Mi hija estuvo viviendo en Inglaterra en el año 1995 y durante esos meses nos escribíamos cartas; ella recuerda tener un gran número de cartas de la familia y los amigos. Sin embargo, cinco años más tarde repitió su estancia en Londres durante casi un año, y no tiene ni una sola carta de esa época, ya que incluso nosotras nos comunicábamos a través de Internet. Si lo miramos fríamente, es una lástima, porque es muy agradable releer al cabo de unos años las cartas recibidas, pues se reviven las experiencias pasadas y se comprueba cómo los hechos ocurridos en determinados momentos ahora los vemos desde otra perspectiva. Pero de aquella etapa no hay nada, ni el más mínimo recuerdo escrito. Sí, era muy cómodo escribir y hablar cada día a través del ordenador, pero de los sentimientos que experimentamos, de muchos de los hechos que ocurrieron durante esos meses, ahora no hay ninguna constancia.

La escritura, las cartas, la correspondencia han desempeñado un papel muy importante en la historia y en la literatura. La publicación de la correspondencia de algunos personajes ha servido para conocerlos mejor y para contextualizar hechos y situaciones. Hace unos días asistí a la representación de una obra de teatro, *Dirección desconocida*, una adaptación de la novela *Paradero desconocido*, de Kathrine Kressmann Taylor. En ella, de forma muy original y creativa, se ponía en escena la relación epistolar entre dos amigos, un judío norteamericano y un alemán. La correspondencia se sitúa en un período especialmente relevante: el que va del año 1932 a 1934. El alemán, después de vivir un tiempo en Nueva York y compartir negocio con su amigo norteamericano, regresa a Alemania, y a través de esas cartas vemos cómo esa amistad influida por unas circunstancias muy especiales —la llegada al poder de Hitler— se transforma y se deteriora. Sobre todo cambia la visión e incluso la ideología del que reside en Alemania. Cuando la estaba viendo no podía dejar de pensar en lo fantástico que hubiera sido comprobar la evolución de la letra de cada personaje, sobre todo la del alemán. Cuando la representan, cada vez que el actor lee una nueva carta, expresa en su cara la sensación que le produce su contenido. A esa expresión yo hubiera añadido la del impacto de ver cómo cambiaba la letra.

Hace años, una prima de mi padre que se escribía periódicamente con él llamó por teléfono a mi madre preguntando si le sucedía algo, pues había notado cambios muy notorios en su letra. Esta prima no era grafóloga; sin embargo, observó esos cambios, que la llevaron a pensar que ocurría algo. Tiempo después a mi padre se le diagnosticó arterioesclerosis cerebral, lo que tal vez hoy sería Alzheimer. En esa época yo no tenía ningún conocimiento de grafología, ya que sólo tenía 14 años, pero ese hecho se me grabó en la memoria y, años más tarde, cuando empecé a estudiar, comprendí lo que mi prima había sabido ver a través de la letra: las alteraciones provocadas por una enfermedad que ya se manifestaba con pequeños detalles a los que aún no se les había dado importancia, pero que se transmitían con irregularidades en la letra que eran muy evidentes.

Realizando un trabajo sobre el poeta Jacint Verdaguer tuve la suerte de tener en mis manos documentos originales suyos, depositados en la Biblioteca de Catalunya y guardados con el rigor imprescindible para su conservación. Tuve acceso a estos documentos bajo la vigilante mirada de las bibliotecarias. Pasar las páginas de una pequeña libreta en la que había anotaciones, incluso simples cuentas, me produjo una gran emoción. Tal vez sea debido a que soy un poco fetichista, pero es muy especial para mí tener en mis manos un documento escrito por determinadas personas. Trabajar directamente sobre los originales es algo que un grafólogo siempre agradece y, cuando además es aficionado a la historia y a la literatura, como es mi caso, el placer es aún mayor. Recomiendo encarecidamente a todo el que vaya a Londres que visite en el Museo Británico la British Library. La colección de manuscritos que contiene de autores literarios y de otros ámbitos, así como de personajes de la historia y la política, es impresionante, aunque allí sólo se pueden ver. Insisto, la letra manuscrita en un papel aporta una serie de impresiones que no sólo se refieren al contenido de ese escrito.

Recuerdo que siempre que recibía una carta, la mejor sensación que me producía era saber que la persona que la enviaba la había tenido en sus manos. El contacto con una carta manuscrita nos hace utilizar todos los sentidos: el tacto, tocar ese papel que nuestro interlocutor ha tocado, pasar la mano por los surcos de las letras que muchas veces origina la presión ejercida al escribir, así como ver que esa presión es tan ligera que apenas se nota; la vista, poner nuestra mirada en las letras escritas; el olfato, oler el papel, en el que incluso a veces queda impregnado el perfume de las manos —quién no ha visto en una película aquel momento en el que alguien, al recibir una carta, se la acerca a la nariz y aspira el aroma que emana, y el receptor reconoce el perfume de quien se la envía; es un acto muy sensual—; incluso el oído, rasgar el sobre, desplegar el papel, sentir cómo cruje según el tipo de papel utilizado. Todas estas sensaciones las produce una simple carta recibida, placer que hoy nos es vedado. Todavía hay personas que siguen escribiendo postales desde sus lugares de vacaciones; aunque igualmente envíe SMS, todavía hay quien dice que disfruta escribiendo a mano un diario y deja notas en el tablón de anuncios de la empresa o en la nevera de casa. Seamos optimistas y pensemos que aún podemos disfrutar de la magia de esos signos sobre el papel, que no sólo nos comunican lo que conscientemente quiere transmitir quien los ha escrito, sino también muchas cosas más que podremos descifrar a través de la grafología.

2

¿A QUIÉN LE INTERESA LA GRAFOLOGÍA?

El título de este capítulo ha sido y es una verdadera incógnita para mí si trato de ser objetiva. En cuanto se habla del tema, éste despierta inmediatamente interés y una gran expectativa en el público o el medio donde nos hallamos. Todo el mundo expresa su opinión y habla de sus experiencias, unos de forma entusiasta y favorable, mientras otros se muestran escépticos y un gran número manifiesta un rechazo total, incluso a veces visceral.

Si nos detenemos a valorar y a analizar estas posturas, es fácil constatar el grado de subjetividad existente en cualquier valoración, ya que los que se muestran tan entusiastas lo hacen porque en algún momento han sido objeto de un análisis grafológico positivo en el que se han visto reflejados y «favorecidos». También puede ser que sean profesionales de la técnica y estén satisfechos con sus resultados; podríamos decir que ésta es la valoración más objetiva. Los que se muestran escépticos generalmente no saben qué es ni cómo se utiliza la grafología, y prefieren mostrar escepticismo antes que confesar ese desconocimiento. Pero realmente el grupo más interesante es aquel que lo rechaza vivamente, un grupo en el que también hay dos partes diferenciadas. En primer lugar, se encuentran los que un día solicitaron un informe grafológico o tuvieron acceso al que les hicieron en un proceso selectivo —cosa que no debería suceder— y no se vieron reflejados en él o incluso esa valoración fue negativa, lo que propició que fueran descartados en dicho proceso. En estos casos la reacción es totalmente negativa y de rechazo, algo que se percibe a través de lo que manifiesta el detractor, ya que raramente reconoce que se le ha valorado de forma negativa, aunque sí puede afirmar que por culpa de esa técnica perdió la oportunidad de acceder a un determinado puesto de trabajo. En segundo lugar, se encuentran aquellos que en algún momento han utilizado la técnica en el ámbito de la selección de personal y que cuando un candidato no ha coincidido en sus resultados con lo expuesto en el informe rechazan de lleno la técnica. Cuando alguien me expone esta situación, siempre contesto lo siguiente: «¿Nunca te ha fallado un médico, un abogado o cualquier otro profesional? En esas ocasiones, ¿dejas de confiar en la medicina o en las otras profesiones?». ¿Cuántas veces vamos a un restaurante y la comida es un auténtico fracaso? En ese caso dejamos de ir a ese restaurante, pero no desistimos de ir a otros. En cambio, cuando a alguien le ha fallado por algún motivo la grafología, éste se convierte en un absoluto detractor de la misma. Mi argumento siempre es éste: la grafología no falla, quien falla es el grafólogo.

Podríamos preguntarnos por qué falla el grafólogo, y la respuesta es fácil. Primero porque es humano y todos nos equivocamos. Segundo, y esto sí que es preocupante, porque, dada la situación académica y profesional de la grafología, cualquiera puede decir que es grafólogo y ejercer como tal. Por tanto, quien necesita este servicio debe asesorarse sobre la profesionalidad de la persona que va a dárselo. Por último, no siempre se trata de un fallo del grafólogo, sino que muchas veces son los empresarios los que no saben exponer sus necesidades o por múltiples razones ajenas al informe grafológico una persona bien valorada puede no llegar a encajar en un determinado puesto de trabajo.

Insisto, las opiniones que se expresan tanto a favor como en contra de la grafología generalmente carecen de objetividad y fundamento.

Sigamos con la pregunta inicial: ¿a quién le interesa la grafología?

- A cualquier persona que desee conocerse mejor.
- A cualquier persona que desee conocer mejor a alguien de su entorno.

Dentro del grupo anterior podríamos incluir a aquellos padres que desean conocer la trayectoria de sus hijos o que se preocupan cuando surgen dificultades en el aprendizaje. El análisis grafológico también puede ayudar como orientación académica a la hora de plantearse qué ámbito de estudio o qué carrera universitaria elegir, y más adelante dar una orientación de tipo profesional.

El hecho de comprobar un comportamiento irregular, extraño o conflictivo también puede hacer que alguien solicite un informe grafológico para localizar cuáles son las alteraciones que padece el sujeto analizado.

Una de las aplicaciones más conocida de la grafología es la selección de personal, pues a un empresario puede interesarle un análisis grafológico a la hora de contratar a alguien para comprobar que sus competencias encajan en el puesto de trabajo ofertado.

Por último —y esta vertiente es un descubrimiento de hace unos pocos años, al menos para mí—, la grafología también se emplea para realizar el análisis grafológico de personajes históricos, escritores, músicos, investigadores, etc. Una vez recopilados los escritos de estas personas a lo largo de su vida, es apasionante realizar el estudio grafológico y hacerlo paralelo a su trayectoria tanto pública como privada. En estos casos, el conocimiento de antemano de unos hechos, positivos o negativos, de sus logros o de sus fracasos condiciona al grafólogo, pero también es realmente interesante comprobar que, a través de dicho estudio, se encuentran explicaciones a las acciones y los comportamientos de esas personas. Se trata de una aplicación de la técnica grafológica ilustrativa y enriquecedora. Cada vez que he expuesto de forma directa, a través de una charla o conferencia, el estudio grafológico de un personaje histórico, para los asistentes ha resultado ser un sistema concreto y muy práctico de entrar en el mundo de la grafología y comprender su eficacia y utilidad, puesto que han podido observar de manera detallada cómo se van correlacionando los rasgos gráficos con determinados comportamientos y actitudes y cómo la letra va evolucionando a lo largo de la vida de la persona analizada.

Así pues, está claro que el colectivo de personas que pueden interesarse por esta técnica es amplio, ya que puede resultar de ayuda a empresarios, maestros, educadores y psicólogos, entre otros, y, dentro de estos últimos, tanto a los que tienen contacto directo con personas con problemas como a los que se dedican a los recursos humanos.

Resumen	
A quien desee conocerse mejor	Informe de personalidad
A cualquier persona que desee conocer mejor a alguien de su entorno, personajes históricos, literarios, etc.	Informe de personalidad
Dificultades en el aprendizaje	Grafología infantil o disgrafía
Elección de ámbito de estudio	Orientación académica o profesional
Elección de carrera universitaria	
Elección de ámbito profesional	
A quien le preocupen comportamientos extraños, conflictivos o irregulares	Grafopatología
A todas las personas implicadas en el área de recursos humanos	Evaluación, selección de personal
	Reestructuración y promociones

A favor de la grafología puedo decir que muchos de estos profesionales, una vez se hacen usuarios de la misma, tanto si la practican ellos mismos como si la solicitan a un grafólogo, cuando se habitúan a su uso no la dejan. Todos suelen manifestar su satisfacción por la fiabilidad de los resultados y por la ayuda que representa en su trabajo.

3

¿DÓNDE Y CON QUÉ OBJETIVOS SE APLICA?

Como ya he expuesto anteriormente, el campo de aplicación de la técnica grafológica es amplio, desde la inquietud particular hasta el ámbito de los recursos humanos. No obstante, es muy importante saber cuál es el objetivo de cualquier análisis grafológico que se nos solicita. ¿Por qué? Simplemente porque la grafología tiene la particularidad de llegar a un conocimiento profundo del individuo en todas sus facetas, como más adelante expondré. Por tanto, es responsabilidad ética de quien practica el análisis conocer el objetivo de dicho análisis e incluso qué consecuencias puede tener.

Cuando el análisis es del propio solicitante, lógicamente el grafólogo no debe tomar ninguna precaución antes de hacerlo porque esa persona es la única responsable del mismo y de su divulgación. Ahora bien, cuando se solicita el informe de otra persona, ya sea la pareja, un hijo, un amigo, etc., la situación se complica. Primero se debe preguntar al solicitante cuál es el objetivo de ese análisis. En el caso de la pareja, los amigos u otros, generalmente se suele decir que es un regalo para la persona analizada. En cambio, en otras ocasiones el solicitante expone claramente que quiere conocer mejor a esa persona e incluso manifiesta que hay dudas o cierta inquietud sobre su comportamiento. Entonces la situación es más delicada. Por tanto, cada uno debe actuar según su conciencia. En el caso de los hijos, si éstos son menores de edad, podríamos justificarlo afirmando que los padres tienen que hacer lo que sea necesario por conocer a sus hijos y que, por tanto, podemos hacer ese informe sin más preocupaciones por nuestra parte. Sin embargo, cuando éstos son mayores de edad y no son ellos los que lo solicitan directamente, debemos actuar, como ya he dicho, según creamos conveniente, así como en el caso de otras personas, como la pareja, los amigos, etc.

Si se realiza el informe, mi consejo es hacerlo de forma que el analizado, si llega el caso y lo lee, no se sienta mal. En algunas ocasiones he visto informes en los que literalmente se anula a la persona de forma ofensiva. Por más que el solicitante diga que nunca se lo va a mostrar al analizado, la experiencia me dice que eso no es así; incluso en ocasiones se ha utilizado un informe, sin que se supiera que ése iba a ser su uso, en procesos judiciales de divorcios. Por tanto, hay que tener mucho cuidado con lo que se escribe en un informe.

Estas prevenciones sirven para cualquier otra finalidad. En el caso de la grafopatología, la prevención tiene que ser todavía más grande. Aunque un grafólogo sea psicólogo, y más aún en el caso de que no lo sea, no es aconsejable que emplee términos técnicos y especifique patologías, ya que lo que está realizando es un análisis grafológico, no psicológico. Cuando imparto clases, les digo a mis alumnos que, ante la constatación de algún tipo de alteración patológica en la escritura, hagan algo tan simple como describirla. Quien lea el informe, si tiene conocimientos de psicología, sabrá ponerle nombre a esa alteración y, si no los tiene, igualmente verá reflejado un comportamiento extraño. Hay que describir, por ejemplo, el comportamiento y las reacciones de un paranoico, pero nunca decir que esa persona padece una paranoia.

Sólo si se quiere ser más explícito se puede decir en el informe que «se aprecian rasgos grafonómicos compatibles con determinada alteración patológica, los cuales han de ser corroborados con otro tipo de análisis». Nuevamente —y no me canso de insistir en ello—, hay que ser muy cuidadoso en este tipo de afirmaciones, puesto que no se puede afirmar de forma ligera que alguien tiene una patología o una irregularidad del comportamiento.

En cuanto a la grafología en el ámbito empresarial o de recursos humanos, la actuación por parte del grafólogo es más o menos la misma, pero vayamos por partes.

Si se trata de realizar un informe de evaluación aislada, es decir, si la empresa o la persona responsable del proceso selectivo nos pasa el escrito de un candidato a ocupar un determinado puesto de trabajo, tenemos que dejar claro de antemano que el aspirante debe saber que se va a efectuar un análisis sobre su escrito.

En las selecciones completas, si el grafólogo forma parte del equipo y tiene acceso al candidato, debe informarle de que se va a hacer ese análisis y, si no tiene ese acceso, como en el caso anterior, debe dejar claro a las personas encargadas de la selección que el candidato o candidatos tienen que conocer la existencia del análisis grafológico. Ahora bien, en este tipo de procesos, antes de tener un contacto directo con el candidato, es muy probable que se haga una criba grafológica de las cartas recibidas solicitando el puesto, si se ha pedido que éstas sean manuscritas. En estos casos se presupone que el candidato ya conoce la existencia de tal prueba, y a quien no lo sabe se le comunica una vez se le emplaza para la entrevista. Lógicamente, hay una serie de aspirantes que no llegan a esa entrevista y, por tanto, se ha realizado un análisis sin su permiso explícito. Aquí hay que confiar en la profesionalidad de todo el equipo que realiza la selección, ya que se presupone que dará el mismo tratamiento de confidencialidad a ese análisis que al currículum recibido, en el cual también aparecen datos que son confidenciales.

En cuanto a las reestructuraciones, promociones o solicitudes del análisis de una persona que se ha incorporado a la empresa pero que presenta una problemática determinada, la situación también es delicada. En principio, se le debería comunicar a esa persona que se va a hacer un estudio de su grafismo. Lo más probable es que en el caso de reestructuraciones, y sobre todo de promociones, el empleado no manifieste ninguna objeción a ese análisis. En cambio, en el caso de la persona que presenta una problemática resulta más complicado. En estas ocasiones, el responsable de recursos humanos, con delicadeza y empatía, debería exponerle la situación al empleado y, como ayuda, debería ofrecerle la posibilidad de realizar el análisis. Desgraciadamente, no se suele proceder así, y al grafólogo le llegan apuntes y notas obtenidos de cualquier manera y sin que el interesado lo sepa. ¿Cómo actuar entonces? Que cada cual haga lo que su conciencia le dicte.

3.1. ¿QUÉ ES NECESARIO PARA REALIZAR UN ANÁLISIS?

Se necesita una hoja de papel escrita por la persona sujeto del análisis. Es *recomendable* que la hoja no esté pautada, *imprescindible* que aparezca la firma al final del escrito y *deseable* que se trate de una redacción espontánea, ya sea una carta o cualquier otro asunto, no una copia. El escrito no tiene que ser muy extenso, con una hoja es suficiente, pero cuanto más material se le proporcione al grafólogo, mejor.

3.1.1. *¿Cuáles son los datos o antecedentes necesarios para realizar el análisis?*

De la persona a la que vamos a analizar debemos saber:

- la edad,
- el sexo,
- la formación,
- su trayectoria profesional/laboral.

Estos datos son imprescindibles para realizar cualquier análisis, independientemente de su objetivo.

Hay que saber la edad para comprobar si la evolución que muestra la escritura de la persona analizada es consecuente con su edad, ya que no tiene el mismo significado una letra temblorosa en una persona de 40 años que en una de 75, de la misma manera que no tienen el mismo significado las torsiones y otros rasgos que evidencian escasa fluidez en el grafismo si aparecen en la letra de un niño de 7 años o en la de un adulto de 30.

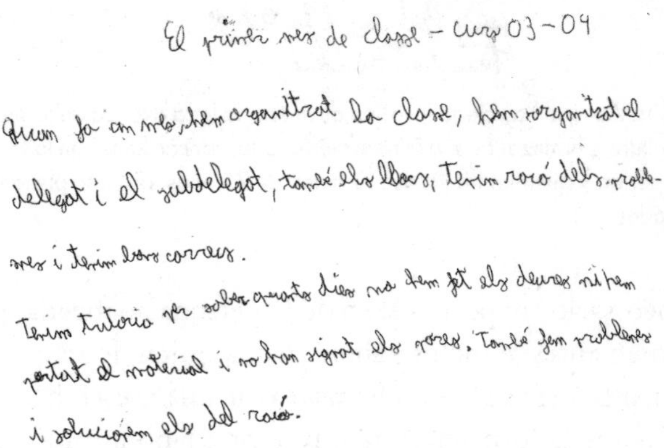

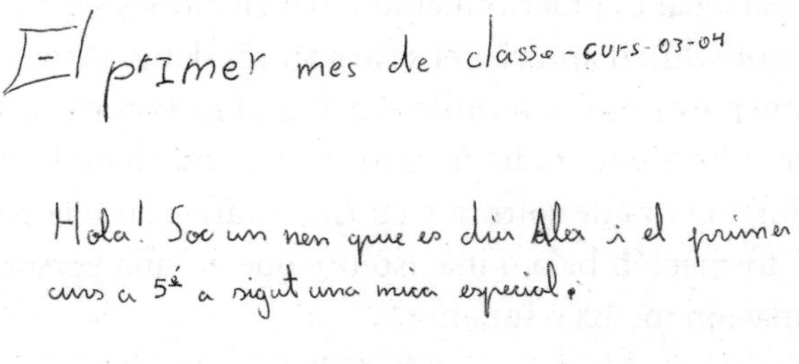

Figuras 1 y 2. Letra de dos niños de la misma edad: 10 años. Es significativa la diferencia entre ambas en cuanto a soltura gráfica. En la primera, la evolución es inferior a su edad. La segunda presenta una cultura gráfica notoria y, por tanto, una evolución superior a su edad.

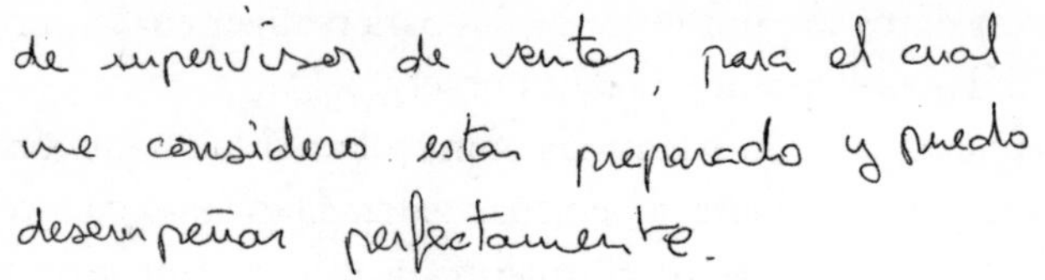

de supervisor de ventas, para el cual me considero estar preparado y puedo desempeñar perfectamente.

Figura 3. Los temblores que se aprecian en este grafismo no son concordantes con la edad de su autor, de 46 años.

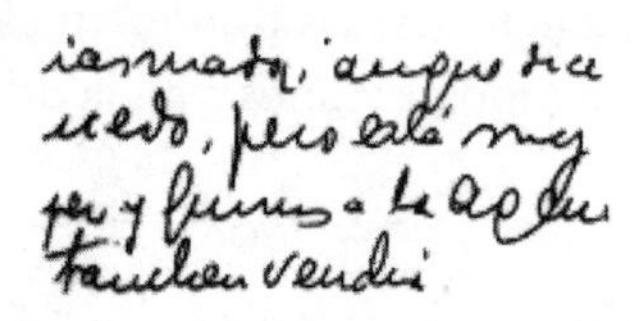

Figura 3 bis. Aunque hay cierta invasión de líneas, la letra avanza de forma pausada, con soltura y firmeza. Es una letra evolucionada, concordante con la formación, que es superior, y que manifiesta que su autor, de 75 años, dispone plenamente de sus facultades.

Es necesario conocer el sexo de la persona analizada, puesto que si bien antes, e incluso ahora, había quien decía que podía apreciar si la letra era de un hombre o de una mujer, hoy en día, debido a que la formación, la trayectoria laboral/profesional e incluso personal es prácticamente igual en ambos sexos, resulta realmente difícil apreciar el sexo a través del grafismo.

También es imprescindible saber cuál es la formación, ya que, como he comentado anteriormente, no tiene la misma valoración la falta de soltura y cultura gráfica en una persona con una formación baja o inexistente que en una persona con una formación media o superior.

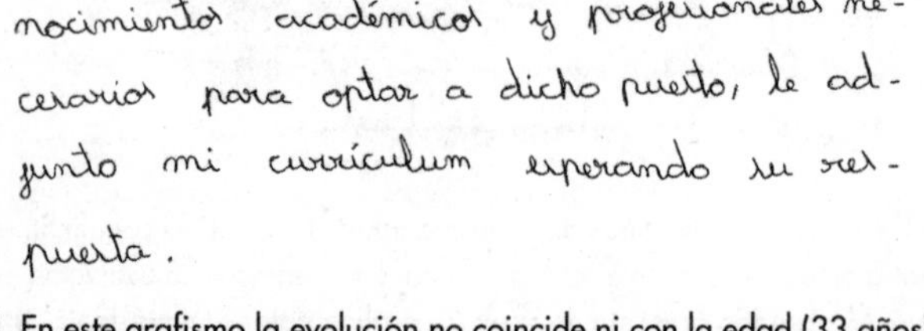

nocimientos académicos y profesionales necesarios para optar a dicho puesto, le adjunto mi currículum esperando su respuesta.

Figura 4. En este grafismo la evolución no coincide ni con la edad (33 años) ni con la formación, que es universitaria de grado superior.

b) La iniciativa popular →

· Es tb. una institución de democracia semidirecta, conocida en el Derecho comparado y contemplada en nuestra Constitución en el art. 87.

· Se establece la posibilidad (art. 87.3) de ejercer la iniciativa popular de las leyes con un mínimo de 500.000 firmas.

· Se excluyen una serie de materias (leyes orgánicas, tributarias o de carácter internacional, o lo relativo a la prerrogativa de gracia, tampoco cabe para la reforma o revisión de la CE.

Figura 4 bis. Grafismo que avanza con agilidad y fluidez, letra simplificada con ligados en la zona alta. Todo ello muestra un potencial intelectual destacado con un desarrollo y evolución en consonancia con la formación y la edad (32 años y formación superior).

Por la misma razón, hay que conocer la trayectoria profesional para evaluar si se corresponde con el desarrollo y la evolución que evidencia el grafismo. En muchas ocasiones se llega a dudar de lo que alguien pone en su currículum, ya que la progresión laboral que indica en el mismo no encaja con la evolución que denota el grafismo.

Es imprescindible tener todos estos datos no sólo a la hora de utilizar la grafología en la selección o evaluación de personal, sino también en cualquiera de sus aplicaciones, incluyendo el informe básico de personalidad.

El dato que puede ser más prescindible es el del sexo, ya que no influye en los resultados del análisis, pero igualmente es aconsejable saberlo.

Lógicamente, y para organizarnos, debemos saber el nombre completo de la persona que analizamos. Como grafólogos, estamos en nuestro derecho de negarnos a hacer un informe de alguien anónimo, pero, como en todo, cada uno debe actuar según crea conveniente. No obstante, insisto —y esto es fruto de la experiencia de muchos años—, hay que saber a quién se está analizando. Además, si alguien confía a un profesional la intimidad de una persona, ¿por qué no va a comunicarle su nombre? Ante un hecho así nos invade la duda sobre el objeto del análisis. Por tanto, vuelvo a insistir en que hay que saber a quién se analiza; está claro que pueden darnos un nombre falso, pero ése ya no es nuestro problema. Dado el caso, si hay que ratificar lo expuesto en un informe, se hará con el nombre que se nos dio, al margen de que sea real o falso.

Aunque las situaciones descritas son un tanto extrañas y complejas, pueden ocurrir, y hay que conocerlas y prevenirlas.

El primer día de clase suelo hacer un juego para que los alumnos se habitúen a ver letras diversas, que aquí aconsejo a modo de ejercicio. Paso una serie de grafismos y les animo a que espontáneamente digan la edad y el sexo que creen que tiene su autor e incluso el nivel de formación.

El resultado suele ser siempre el mismo. Los alumnos exponen lo que «ven», y suelen decir: «Esta letra debe de ser de un adolescente», «Ésta es de una persona muy mayor» o «Éste es hombre, aquél mujer», etc. Generalmente, la apreciación es acertada en cuanto a lo que ven. La mayoría de la gente, sin saberlo, tiene una gran visión grafonómica, no grafológica. Por tanto, saben ver un grafismo infantil, de un adulto o incluso de una persona mayor, y hasta una patología. A la mayoría le sorprenden los datos reales: aquella letra infantil es de una persona de 40 años, la de la persona muy mayor es de alguien que aún no ha llegado a los 30, y de quien pensaban que no pasaba de los 45 tiene 80, de la misma manera que a quien consideraban sin formación ha estudiado dos carreras universitarias y varios másters, y quien creían con formación superior apenas superó la primaria.

Por tanto, queda claro lo imprescindible que es conocer los datos del analizado, ya que hay que comprobar si la evolución que denota el grafismo es consecuente con su edad, su nivel de formación y su trayectoria. De no ser así, deberemos averiguar qué es lo que ha originado ese retraso o adelanto en el proceso y *describirlo, nunca juzgarlo.*

Ejercicio
Reunir una serie de grafismos de diversas personas sin conocer de antemano su currículum. Elaborar una hipótesis sobre su edad y formación, incluso su sexo, y, posteriormente, cotejarlos con los datos reales.

3.2. ¿QUÉ SE PUEDE DESCRIBIR MEDIANTE EL ANÁLISIS?

Aspectos que se pueden describir mediante el análisis	
Facultades intelectuales	Desarrollo
	Inquietud
	Capacidad de aprendizaje
	Capacidad de análisis
	Capacidad de concentración
	Reflexión
	Intuición/deducción
	Imaginación/fantasía
	Objetividad/subjetividad
	Evolución
Carácter	Actitud: moderada, afable, suave, rígida, adusta, fría
	Estabilidad/inestabilidad emotiva. Control/descontrol
	Objetivos y forma de obtenerlos
	Criterios: personales/preestablecidos, firmes o no
	Conciliación/imposición. Tolerancia/intransigencia
	Capacidad energética, actividad y ritmo
	Capacidad de reacción/improvisación. Iniciativa
	Dotes de mando/liderazgo. Aceptación/mando
	Sentido de la ética y aceptación de las normas
	Individualismo. Egocentrismo/altruismo
	Evolución personal

Aspectos que se pueden describir mediante el análisis *(continuación)*	
Social	Necesidad de proyección y comunicación
	Trato: correcto, agradable, atento, distante, sobrio sencillo/elaborado
	Actitud: abierta, cerrada, reservada, discreta. Sin pronunciamiento definido, ocultamiento
	Fácil/difícil establecimiento de contacto
	Expresividad/exuberancia. Sobriedad
	Relación social fluida o problemática
	Convivencia laboral con o sin dificultades
Afectividad	Demanda y expansión
	Expresividad/retraimiento
	Facilidad en la comunicación
	Egoísmo
	Relación fluida
	Demanda instintiva (sexual)
	Intensidad de la demanda
	Fantasía erótica
	Realización sexual

Éstos son los principales aspectos que se pueden describir y desarrollar a través del análisis grafológico y exponer en el informe. La exposición por apartados es una opción de quien realiza el análisis. Es la que yo utilizo y explico en las clases, ya que hace más comprensible el informe y también facilita el aprendizaje a las personas interesadas en esta técnica.

4

CÓMO SE ANALIZA LA ESCRITURA: GRAFONOMÍA

4.1. UN POCO DE GRAFONOMÍA

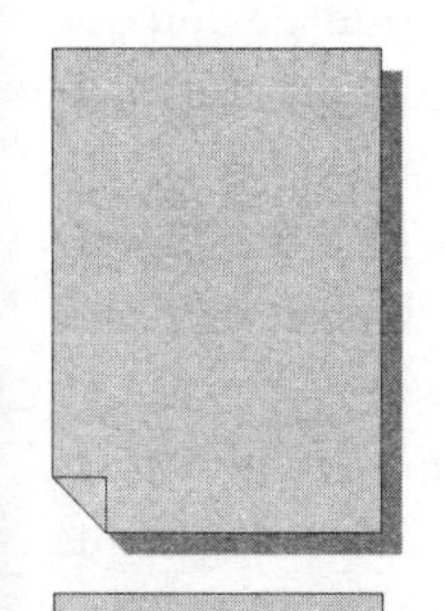

La hoja en blanco simboliza el entorno y cómo nos movemos en él.

La grafología es la técnica que permite describir la personalidad del individuo a través de la escritura.

M. Priante

La escritura describe cómo actuamos, nos desenvolvemos e interactuamos.

La firma representa cómo somos en realidad.

De las diferencias entre texto y firma se obtienen las diferencias entre cómo nos mostramos y cómo somos realmente.

Parte superior de las letras → *f d l* Hampa

Parte inferior de las letras → *f g j* Jamba

Parte central de las letras → *a o g d* Óvalo

Hampas y jambas pueden realizarse con *f d l f g j* Bucle

Hampas y jambas pueden realizarse con `fd l fg j` Seca

También es importante diferenciar las zonas de la escritura.

La grafología es un método

Todas las partes y rasgos de las letras que se sitúan entre las dos líneas trazadas se denominan *zona media*.

Todos los trazos, partes de letras y signos de puntuación que superan la primera línea y van hacia arriba se denominan *zona alta*.

Todos los trazos, partes de letras y signos de puntuación que superan la segunda línea y van hacia abajo se denominan *zona baja*.

Los rasgos que se sitúan a la derecha, como sucede con las barras de «t», los puntos de «i» y los finales de letras, igual que si la letra es inclinada, se denominan *zona derecha*.

Los rasgos que se sitúan a la izquierda, como sucede con las barras de «t», los puntos de «i» y los inicios de letras, igual que si la letra se inclina hacia la izquierda, se denominan *zona izquierda*.

Las letras pueden tener una:

Forma
- Sobria/adornada
- Sencilla/ampulosa
- Angulosa, semiangulosa
- Redonda/cuadrada
- Curva, curvilínea

La escritura presenta un:

Orden
- Claro/confuso
  - Separación entre palabras
  - Separación entre letras
  - Separación entre líneas
- Distribución organizada/desorganizada

El grafismo tiene una:

Inclinación
- Vertical
- Inclinada
- Invertida
- Regular/irregular

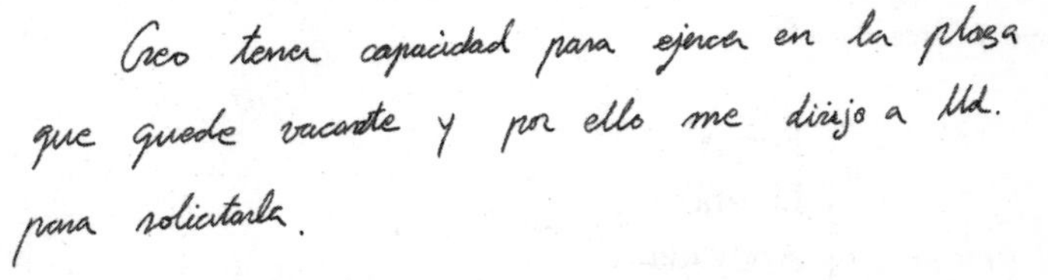

Creo tener capacidad para ejercer en la plaza
que quede vacante y por ello me dirijo a Ud.
para solicitarla.

Figura 5. Forma: curvilínea. Inclinación: inclinada. Velocidad: pausada. Progresión: cerrada. Dirección: Ascendente.

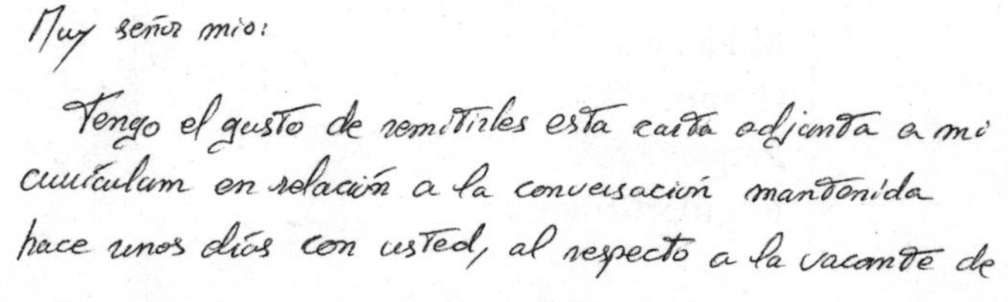

Muy señor mío:

Tengo el gusto de remitirles esta carta adjunta a mi
currículum en relación a la conversación mantenida
hace unos días con usted, al respecto a la vacante de

Figura 6. Forma: elaborada, barras de «t» en forma de lazo y jambas de «g» y «j» con bucle inflado. Velocidad: de pausada a lenta. Dirección: convexa.

El grafismo puede tener una:

Dirección
- Ascendente/descendente
- Cóncava/convexa
- Horizontal/imbrincada
- Regular/irregular

Velocidad
- Rápida
- Precipitada
- Pausada
- Lenta
- Regular/irregular

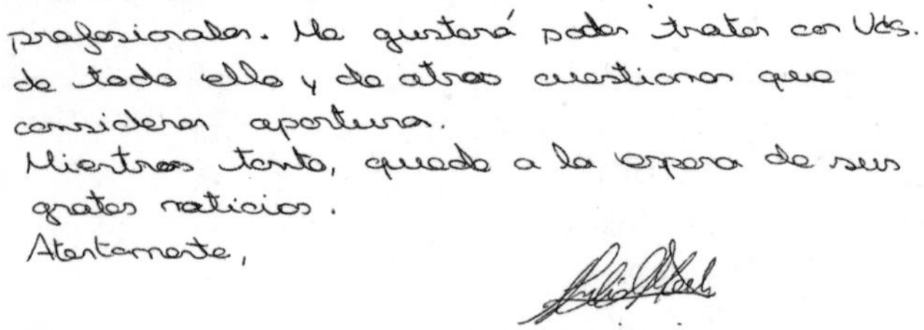

profesionales. Me gustará poder tratar con Uds.
de todo ello y de otras cuestiones que
considere oportuna.
Mientras tanto, quedo a la espera de sus
gratas noticias.
Atentamente,

Figura 7. Inclinación: invertida. Velocidad: lenta. Presión: pastosa. Dirección: horizontal y descendente.

Presión
- Firme
- Ligera
- Apoyada
- Pastosa
- Regular/irregular

Dimensión
- Moderada
- Grande
- Pequeña
- Regular/irregular

Progresión
- Abierta/cerrada
- Progresiva/regresiva

Éstos son a grandes rasgos la grafonomía inicial y los géneros gráficos. Al final del capítulo, y a modo de resumen, hay un cuadro en el que se detallan estos géneros, que son la base grafonómica para elaborar el análisis, de forma más amplia y con todos sus aspectos y significación grafopsicológica.

Una vez conocemos la grafonomía, podemos pasar a realizar el análisis. Como ya he comentado antes, hay que disponer previamente de los datos necesarios sobre la persona que vamos a analizar. El primer paso es tener una visión de conjunto sobre ese grafismo, a partir de la cual nos fijaremos primero en cómo está organizada la escritura en el papel, cómo ocupa el espacio.

Escribe llenando la página sin hacer apenas márgenes desde el principio hasta el final, sin hacer puntos y aparte diferenciados por bloques.

Escribe con unos márgenes muy diferanciados.

Separa los puntos y aparte de forma visible.

Escribe con una distribución muy desigual.

Unas veces con márgenes y otras sin ellos.

La manera en que cada persona se organiza en el papel nos da una idea de cómo es su organización tanto espacial como mental y de cómo es su enfoque de las situaciones (claro o confuso). Esta visión nos da también la oportunidad de situar el potencial intelectual de la persona analizada, sobre todo su desarrollo y fluidez. Cuanta más organización haya en la escritura y más fluidez en el grafismo, mayor nivel intelectual, desarrollo y agilidad mental tendrá el sujeto analizado. Por tanto, el primer paso es situar el grafismo dentro de un conjunto claro y ordenado.

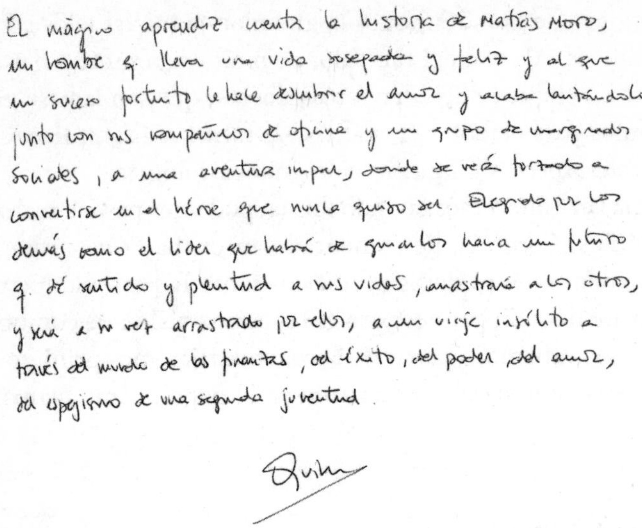

El mágico aprendiz cuenta la historia de Matías Moro,
un hombre q. lleva una vida sosegada y feliz y al que
un suceso fortuito le hace descubrir el amor y acaba lanzándolo,
junto con sus compañeros de oficina y un grupo de marginados
sociales, a una aventura impar, donde se verá forzado a
convertirse en el héroe que nunca quiso ser. Elegido por los
demás como el líder que habrá de guiarlos hacia un futuro
q. dé sentido y plenitud a sus vidas, arrastrará a los otros,
y será a su vez arrastrado por ellos, a un viaje insólito a
través del mundo de las finanzas, del éxito, del poder, del amor,
del espejismo de una segunda juventud.

Figura 8. Separación entre letras, palabras y líneas. No se producen puntos de confusión.

O, por el contrario, situarlo dentro de un conjunto confuso o desordenado.

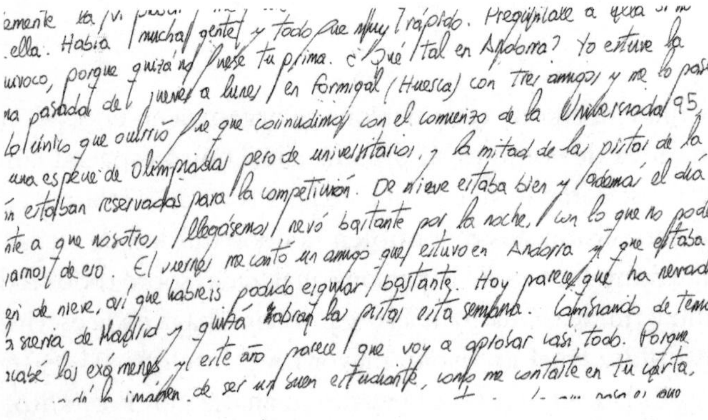

Figura 9. Las jambas son desproporcionadas, de manera que las letras las «pisan», lo cual dificulta la legibilidad.

A continuación hay que valorar si el texto es positivo o negativo. Este paso es primordial, ya que las valoraciones posteriores dependen de éste.

4.2. ¿QUÉ ES EL TEXTO POSITIVO-NEGATIVO?

El texto positivo-negativo es la manifestación de la capacidad del individuo sometido al análisis de adaptarse a sí mismo y al entorno. Dicha adaptación es el resultado de un proceso de aprendizaje satisfactorio que hace que la persona conozca y acepte sus posibilidades y limitaciones y establezca unos objetivos en función de las mismas. De esta manera, la trayectoria hacia el logro de esos objetivos no representa ningún tipo de problemática para dicha persona ni para los demás.

Ahora bien, este proceso de aprendizaje puede no ser correcto, lo que origina una difícil adaptación a sí mismo y al entorno por parte del individuo, ya que éste no conoce ni acepta sus posibilidades y limitaciones. Dicho desconocimiento conduce al establecimiento de objetivos que en muchos casos no son asequibles. Esto da lugar a que la trayectoria hacia el logro de esos objetivos sea problemática para el propio individuo, pues esa dificultad crea frustración y puede originar conflictos con las demás personas, ya que el individuo, al no poder conseguir sus objetivos, trata de alcanzarlos por cualquier medio.

Así pues, la adaptación del individuo a sí mismo y al entorno, o sea, un aprendizaje correcto, se manifiesta en la escritura a través de un texto positivo. En cambio, la no adaptación a sí mismo y al entorno, o sea, un aprendizaje incorrecto, se manifiesta en la escritura a través de un texto negativo (véase la tabla de la página siguiente).

Hay que valorar cada uno de estos ítem teniendo en cuenta los parámetros de presencia, intensidad y frecuencia. El sistema consiste en puntuar estos parámetros del 1 al 3 en el grafismo analizado. Por ejemplo, en el caso de una «letra abierta», si todos los óvalos de las letras están abiertos y además las letras «m» y «n» se hacen en forma de «u», se puntuará con un 3; si la mayoría de esos óvalos están abiertos, se puntuará con un 2, y si sólo hay alguna letra abierta, se puntuará con un 1. En el caso de que todas estén cerradas, se puntuará con un 0, y así con todos los ítem.

Texto positivo	Texto negativo
• Letra abierta.	• Letra cerrada.
• Dirección de la escritura ascendente.	• Dirección descendente.
• Orden espacial coherente (letra clara).	• Desorden (letra confusa).
• Velocidad pausada/rápida.	• Velocidad lenta/retardada.
• Letra vertical o moderadamente inclinada.	• Letra invertida.
• Escritura proporcionada.	• Escritura desproporcionada.
• Formas definidas (identificables).	• Formas indefinidas (no identificables).
• Regularidad de estilos (en la forma).	• Irregularidad de estilos (en la forma).
• Forma sobria.	• Forma elaborada/complicada.
• Limpia.	• Sucia.
• Sin diferencias significativas y entre firma y texto.	• Diferencias importantes entre firma y texto.

Nota: Los ítem expuestos en ambos listados están desarrollados al final de este capítulo, en el apartado 4.7, «Géneros gráficos» (pág. 51).

Una vez hechas las puntuaciones, se suman ambos listados y, por la fórmula del porcentaje, se obtiene el tanto por ciento de positivo o negativo que impera en el grafismo analizado.

Ejercicio
Hacer la valoración del texto positivo-negativo sobre los grafismos expuestos en las figuras 8 y 9 y extraer conclusiones.

Lo más habitual es que el texto sea positivo en un 55 o un 60% y negativo en un 45 o un 40%. No obstante, pueden obtenerse puntuaciones que superen este porcentaje tanto en un sentido como en otro.

Como he dicho anteriormente, ésta es la valoración más importante, ya que la interpretación de otros rasgos grafonómicos depende de ella. Por ejemplo, una letra sobria, sin adornos y simplificada en un texto valorado como positivo significa también sobriedad en el comportamiento y es el reflejo de una persona que piensa y actúa de forma simplificada, sin complicaciones, y que puede ser algo fría o distante. En cambio, la misma sobriedad en un texto valorado como negativo significa frialdad, rigidez y un carácter hosco y difícil. Por tanto, esta primera valoración puede cambiar totalmente el enfoque del análisis y, en consecuencia, del informe. Sin embargo, los conceptos que hay que puntuar son fáciles de evaluar y no presentan demasiadas dificultades al iniciarse en la técnica. Hay una tendencia a puntuar muy alto, lo que da resultados muy rotundos, como un 70 o un 80% de positivo o negativo, lo cual no es habitual en ninguna de las dos opciones. Como les digo a mis alumnos, lo importante es que la valoración se haya hecho correctamente para determinar si el texto es positivo o negativo. Sólo es importante matizar ese porcentaje cuando sale muy equilibrado, algo que también es habitual. Así, ante un 50% la valoración debe decantarse más hacia el texto negativo que el positivo. Por otra parte, hay que tener en cuenta que un 50% no significa que haya un equilibrio entre positivo o negativo, sino que esa persona en ocasiones tiene un comportamiento propio del texto positivo y otras propio del negativo, y en ese caso deberemos indicar cuándo y por qué. Esto nos conduce al siguiente apartado.

4.3. LA TEORÍA DEL SIMBOLISMO DEL ESPACIO: OBJETIVOS Y MOTIVACIONES

Esta teoría nos permite conocer cuáles son los objetivos de la persona analizada. Si sabemos qué la motiva, qué la hace luchar, podremos saber también en qué momentos se comporta de una manera más o menos correcta.

¿De qué manera se puede saber cuáles son las motivaciones u objetivos de la persona analizada a través de la escritura? Es posible saberlo siguiendo la teoría de Max Pulver denominada «simbolismo del espacio».

De entrada, hay que saber cuáles son, de forma generalizada, las principales motivaciones/objetivos. Podemos clasificarlos de la siguiente manera:

Motivaciones/objetivos	
Intelectuales	Inquietud
	Imaginación/fantasía
	Idealismo
	Poder/liderazgo sobre los demás mediante el dominio intelectual
Materiales	Interés económico
	Necesidad de afirmación apremiante
	Dominio e imposición mediante la supremacía económica o física
Motrices	Necesidades básicas nutricionales
	Necesidades básicas en cuanto a movilidad, desarrollo físico
Sexuales	Demanda instintiva básica
Afectivos	Demanda afectiva, tanto de recibir como de dar
	Egocentrismo
	Necesidad de sentirse aceptado por el entorno
Sociales	Protagonismo
	Comunicación, expansión
	Actividad, puesta en práctica de proyectos/creatividad
	Altruismo
	Iniciativa

Pulver les da una situación simbólica en el espacio:

Los rasgos de la escritura que ocupan la *zona alta* corresponden a los aspectos:

- Intelecto.
- Imaginación.
- Fantasía.
- Idealismo.
- Poder.

Los rasgos de la escritura que se dibujan en la *parte baja* corresponden a los aspectos de:

- Materia.
- Motricidad.
- Sexualidad.

Aquellos rasgos que se realizan en la *zona derecha* corresponden a:

- Expansión.
- Actividad.
- Comunicación social.
- Altruismo.

Los rasgos que están en el *centro/medio* se relacionan con:

- Afectividad.
- Necesidad de aceptación.
- Egocentrismo.

Hay unos rasgos que son indicativos, más que de una motivación u objetivo, de determinados factores condicionantes que impiden la progresión de todos los anteriores. Éstos son los que están situados en la *zona izquierda* o que retroceden a esa zona.

- Convencionalismos.
- Represión.
- Sujeción a la familia.
- Factores condicionantes educacionales.

Se trata únicamente de saber ver qué zona destaca más en la escritura, la cual indica el objetivo que predomina en el individuo analizado, qué es lo que le hace luchar y actuar con tesón. Por ejemplo, una persona puede tener una destacada inquietud

Notificación por el arrendador, con tres meses,
antes indicando su naturaleza, comienzo,
duración y coste previsible. Durante el plazo
de un mes desde dicha notificación, el
arrendatario podrá desistir del contrato,
salvo que las obras no afecten o afecten de
modo irrelevante a la vivienda arrendada.
El arrendamiento se extinguirá en el plazo
de dos meses a contar desde el desistimiento,
durante los cuales no podrán comenzar las
obras.
El arrendatario que soporte las obras tendrá
derecho a una reducción de la renta en
proporción a la parte de la vivienda de
la que sea privado por causa de aquéllas,
así como a la indemnización de los
gastos que las obras le obliguen a efectuar.

Figura 9 bis. Inclinación a la derecha. Barras de «t» centradas, algunas a la derecha. Hay óvalos de «a» abiertos a la derecha, si bien la mayoría, tanto de la «a» como de la «o», están cerrados. Las hampas y jambas están proyectadas por igual y algunas «s» se proyectan hacia la zona baja. Por tanto, predominan de forma casi equilibrada la zona alta, baja y derecha. La media es la que tiene menor presencia y la izquierda no tiene ninguna.

intelectual y necesidad de desarrollarse en ese campo, por tanto dirigirá todo su esfuerzo y energía a conseguir ampliar sus conocimientos y desenvolverse intelectualmente. En otra persona podemos observar que predomina la zona baja; posiblemente estaremos ante alguien motivado por el interés económico, pues centra toda su energía en conseguir ese objetivo, en lograr, mediante un sueldo, una actividad comercial o profesional, el nivel de ingresos que desea. De esta manera iremos viendo en cada una de las personas analizadas cuáles son sus objetivos en la vida.

Por tanto, conociendo sus objetivos, es posible saber en qué momentos o circunstancias las actuaciones de una persona determinada pueden ser más o menos correctas. Cuando la valoración en cuanto a texto positivo es muy igualada, es decir, al 50%, es fácil establecer que esa persona, en el momento en que lucha por sus objetivos, no actúa de una forma tan correcta como lo hace cuando no debe luchar o defender sus intereses. Por el contrario, en un grafismo claramente valorado como texto positivo, la actuación siempre se encontrará dentro de las normas, independientemente de lo que quiera alcanzar o esté defendiendo. Y en el otro extremo, cuando la valoración es negativa, el individuo así evaluado actúa siempre según sus intereses y objetivos, sin importarle demasiado las normas ni los posibles perjuicios a terceros.

Como ya he mencionado, en este proceso de alcanzar los objetivos es necesaria una capacidad energética, la cual también se puede apreciar a través del grafismo.

4.4. LA LIBIDO SEGÚN C. G. JUNG: CAPACIDAD ENERGÉTICA

La teoría de Jung establece que todo ser humano tiene una energía psíquica. Esta energía es la que impulsa al individuo a realizar todas sus actividades, que le aportan ánimo para actuar y superar situaciones poco propicias o incluso adversas.

La energía física no necesariamente va unida a la psíquica. Jung llama a este potencial «libido», y puede ser fuerte o débil. A través de una serie de valoraciones grafonómicas podemos establecer qué tipo de libido tiene la persona analizada.

Libido fuerte:

- Letra de tamaño medio a grande.
- Presión firme, no pastosa.
- Forma de las letras angulosa, semiangulosa o curvilínea.

- Dirección de las líneas recta o ligeramente ascendente.
- Ritmo de ejecución de la letra de pausada a rápida.
- Coligamentos en ángulo o en guirnalda ancha.
- Regularidad en los parámetros expuestos.

Libido débil:

- Letra de tamaño pequeño.
- Presión de ligera a tenue.
- Forma de las letras, adornos o rasgos accesorios redondos o con predominio de la curva.
- Dirección de las líneas de recta a descendente.
- Ritmo de ejecución de la letra de lenta a retardada.

Ja fa uns quants dies que penso que tot
això no es posible.
Ens escoltem els uns als altres però no
fem gaire cas ni del que diem ni
del que ens diuen.
Estaria molt be que de tan en tan
poguessim parar els rellotges i estar
uns minuts, potser hores escoltan
només els nostre cos. Que bonic
seria! Tot de cors bategan sense
control ni horaris.
Potser tindriem temps, aleshores per tenir
temps i escoltar-nos més.

Figura 10. La dirección es ascendente, inclinada. La presión es moderadamente firme. La forma es curvilínea, hay gestos proyectados a la derecha. Es agrupada y de tamaño medio. Además, mantiene todos estos aspectos con regularidad, lo que significa que la persona analizada tiene una libido fuerte, aunque no muy alta.

- Coligamentos en curva, guirnalda estrecha y en ángulo crispado.
- Irregularidad o regularidad monótona en los aspectos expuestos.

Siguiendo el mismo sistema de puntuación que en el texto positivo-negativo, obtenemos un porcentaje, que nos indica si la persona dispone de un potencial energético fuerte, débil o equilibrado. Esta evaluación no reviste tanta importancia como la del texto positivo-negativo, ya que no altera las posteriores valoraciones. Pero es importante para saber la capacidad de que dispone el individuo para afrontar las diferentes situaciones de la vida, así como la fuerza que le asiste para lograr sus objetivos. No obstante, los diferentes pasos del análisis tienen que confirmar esta valoración, ya que determinadas formas de letras son exponentes de una libido fuerte de la misma manera que otras formas lo son de una débil. Por tanto, si esas formas no coinciden con la evaluación obtenida, significa que se ha producido un error en la puntuación. Yo suelo remarcar en las clases que el proceso de análisis es una sucesión de pasos que deben corroborarse unos a otros a medida que se avanza y que hay unas «luces» que nos advierten de un error cometido, ya que todos los datos tienen que encajar y confirmarse. Muchas veces quien se equivoca en un análisis es porque no ha hecho caso de esas «luces» que le han advertido del error.

Ejercicio
Hacer la valoración de libido fuerte/débil sobre los grafismos 8 y 9.

Una vez establecidos el nivel de capacidad de adaptación del individuo al entorno y a sí mismo (texto positivo-negativo), cuáles son sus objetivos (simbolismo del espacio) y qué fuerza energética le asiste (libido fuerte/débil), sólo falta añadir algo tan importante como lo que se expone en el siguiente apartado.

4.5. POTENCIAL INTELECTUAL Y SU DESARROLLO

El potencial intelectual del individuo objeto de análisis y su desarrollo se determinan siguiendo estos elementos de valoración:

- Organización en el papel coherente y exenta de rigidez.
- Formas personales, escritura simplificada, sin adornos.
- Tamaño moderado con hampas con cierta proyección.
- Rápida, ágil, no precipitada.
- Ligados personales y situados especialmente en la zona alta, así como curvilíneos.

Sí lo vi, todo, fue una tarde, ellos estaban solos en la cuadra y la señorita lo estaba «acuartelando», como ella decía. ¡Sabes cómo! Pues haciéndolo saltar sobre la funda igual que les enseña a los perros. Él saltó dos veces y cada vez recibió un fustazo. Pero a la tercera le quitó la fusta de la mano y la rompió en mil pedazos. ¡Y se marchó!

Figura 10 bis. Todos los ítem expuestos se aprecian en este grafismo. Por otra parte, la evolución es consecuente con la edad (36 años) y formación (licenciatura en Económicas), así como con su desarrollo profesional (es director financiero).

En resumen, los primeros pasos del análisis grafológico consisten en establecer los ejes de la personalidad.

4.6. EJES DE LA PERSONALIDAD

- Potencial intelectual y su desarrollo: *varios aspectos gráficos.*
- Capacidad energética: *libido.*
- Objetivos: *simbolismo del espacio.*
- Forma de desenvolvimiento en el entorno y cómo se consiguen los objetivos: *texto positivo-negativo.*

4.7. GÉNEROS GRÁFICOS

Orden: organización mental y espacial. Capacidad de planificación. Sentido del orden y de la estética.

Organización y claridad mental y espacial	Desorden y confusión mental y espacial
Clara: separación coherente entre líneas, palabras y letras .	*Confusa*: no hay separación o es muy pequeña. Las letras o partes de letras invaden otras palabras.
Extensa: amplia separación entre letras y palabras (*efecto acordeón*), sin que estén necesariamente desligadas.	*Comprimida*: espacio reducido entre letras y palabras sin llegar a confusión.
Distribución desigual: no respeta los márgenes.	*Cuidada*: respeta los márgenes de forma algo rígida.
Concentrada: los márgenes están muy bien diferenciados, se ocupa poco espacio en el papel.	*Automática*: igual que el anterior, pero con gran rigidez.

Forma: modo de comportarse. Criterios: preestablecidos, personales, abiertos o cerrados.

Actitud y trato: duro, firme, enérgico, seguro, difícil	Actitud y trato: dócil, sencillo, afable, suave, sin energía
Actitud circunspecta, natural, espontánea	
Angulosa: enlaces y cambios de sentido dibujados en angulaciones.	*Redonda*: óvalos en circunferencia y trazos centrífugos.
Semiangulosa: mezcla ángulos con curvas, predomina el ángulo.	*Curvilínea*: mezcla de curvas con ángulo; predomina la curva.
Cuadrada: la línea de la base y su unión con las letras se realizan en un dibujo cuadrado.	*Redondeada*: el dibujo de las letras y sus enlaces se elaboran con formas curvadas.
Tipográfica: se reproducen los caracteres tipográficos.	*Caligráfica*: reproducción del modelo caligráfico, sin aportar formas personales.
Simplificada: sin adornos ni trazos innecesarios.	*Adornada*: con trazos innecesarios y adornos.
Seca: similar a la anterior, pero sin bucles en hampas o jambas, ni óvalos.	*Ampulosa*: similar a la anterior, pero con bucles amplios, mayúsculas, firma y trazos elaborados.
Sobria: similar a la simplificada, pero con rasgos o trazos personales.	*Complicada*: formas extrañas que pueden dificultar la legibilidad.
Sencilla: ejecución básica de los rasgos o trazos aprendidos, generalmente escasa cultura gráfica.	*Rara*: lo anterior pero llevado al extremo.
Armónica: independientemente de la forma adoptada, el conjunto resulta equilibrado y sin exageraciones.	*Inarmónica*: independientemente de la forma adoptada, el conjunto es desequilibrado y con exageraciones.

Tamaño: valoración personal/expansión y comunicación. Necesidad de comunicación intelectual, social, íntima.

Autovaloración ajustada, sobrevaloración. Necesidad de expansión y comunicación	**Infravaloración. Escasa necesidad de expansión y comunicación**
Grande: el cuerpo medio supera los 3 mm, las hampas y las jambas superan los 9 y 11 mm respectivamente.	*Pequeño*: el cuerpo medio mide entre 2,4 y 1 mm y las hampas y jambas suelen estar en proporción.
Muy grande: se superan los parámetros expuestos.	*Muy grande*: se superan los parámetros expuestos.
Media: el cuerpo medio mide entre 2,5 y 3 mm y las hampas y jambas entre 7 y 9 mm.	
Sobrealzada: las hampas y las jambas están desproporcionadas en exceso. Las letras que ocupan la zona media se alzan ocupando la alta.	*Rebajada*: desproporción por defecto. Algunas hampas se sitúan en la zona media.
Creciente: a medida que avanza la letra en la línea crece el tamaño.	*Gladiolada*: a medida que avanza la letra en la línea se hace más pequeña.
Regular: todo el texto mantiene el mismo tamaño.	*Irregular*: variaciones de tamaño en todo el texto.

Presión: energía psíquica. Capacidad de decisión y fuerza resolutiva.

Firmeza, proactividad, resistencia a la frustración. Seguridad, dureza, agresividad	**Debilidad. Reactividad. No resistencia a la frustración. Inseguridad, suavidad**
Firme: el trazo marca un surco evidente en el papel.	*Ligera*: apenas se nota el surco en el papel.
Nutrida: trazo lleno de tinta.	*Tenue*: más que ligera, el trazo se rompe.
Neta: trazo limpio, sin descargas ni suciedad.	*Blanda*: predomina la curva en la escritura y los trazos son flojos.
Acerada: en el final de los trazos horizontales la presión disminuye, forma de aguja.	*Masiva*: al final de los trazos horizontales, la presión aumenta.
Apoyada: descargas de tinta por lentitud y paradas en la ejecución de la escritura.	*Pastosa*: igual que apoyada pero con más descargas y óvalos rellenos de tinta.
Regular: se mantiene la misma presión en todo el escrito.	*Irregular*: presión variable a lo largo del escrito.

Dirección: ánimo con el que se emprenden las acciones. Puesta en marcha de la energía individual demostrada con la presión y sus fluctuaciones. Estado anímico y sus variaciones.

Estabilidad anímica: entusiasmo, euforia	**Tendencia al desánimo: pesimismo, cansancio**
Horizontal: línea geométrica que sigue la escritura, recta, como si tuviera una pauta.	*Imbrincada*: las letras no se apoyan en la línea base (imaginaria), sino que cada una se sitúa a una altura diferente.
Ascendente: a medida que la escritura avanza se va separando de la línea base (imaginaria) en un sentido ascendente.	*Descendente*: a medida que la escritura avanza, se va separando de la línea base (imaginaria) en un sentido descendente.
Sinuosa: grupos de letras dentro de las palabras que se sitúan en posiciones diferentes, apoyadas en la línea base o no.	*Serpentina*: las palabras enteras se sitúan en posiciones diferentes, apoyadas en la línea base o no.
Cóncava: empieza horizontal y en el centro de la línea baja y luego recupera la horizontal.	*Convexa*: empieza horizontal y en el centro de la línea sube y luego recupera la horizontal.
Regular: sea cual sea la dirección adoptada, se mantiene en toda la escritura.	*Irregular*: en un mismo texto aparecen todo tipo de direcciones.

Velocidad: capacidad de reacción y agilidad mental (rapidez de respuesta). Ritmo de acción y su regularidad. Viveza mental, forma de reacción. Capacidad de improvisación.

Rapidez mental, reflexión, precipitación	**Lentitud mental, reacción lenta**
Rápida: sobria, seca, sin adornos ni gestos superfluos.	*Lenta*: adornos, gestos innecesarios, retoques y reseguidos.
Pausada: sobria sin llegar a seca y letras agrupadas, generalmente por sílabas.	
Precipitada: filiforme, gestos adelantados, imprecisa, falta de algún rasgo o signo de puntuación.	*Retardada:* además de lenta, gestos en retroceso, hacia la izquierda.
Rítmica: con ligeras variaciones entre rápida y pausada.	*Arrítmica*: fluctúa entre rápida, pausada y lenta.
Regular: similar a la anterior pero con tendencia a la monotonía.	*Irregular*: como la anterior pero sin llegar a variaciones tan notorias.

Inclinación: estabilidad emotiva/actitud hacia los demás. Disposición hacia la comunicación y entrega hacia los demás, equilibrio o desequilibrio emotivo. Lealtad en el trabajo, amistad o afectos.

Disposición hacia los demás	**Retraimiento**
Vertical: respecto a la línea base se mantiene un ángulo recto.	
Inclinada: se inclina moderadamente hacia la derecha.	*Invertida*: se inclina moderadamente hacia la izquierda.
Regular: mantiene la misma inclinación en todo el texto.	*Irregular*: la inclinación es variable.

Progresión, evolución, avance, comunicación. Maduración personal, puesta en práctica de proyectos y su desarrollo, disposición hacia la comunicación social e intelectual.

Comunicación intelectual, social, afectiva. Facilidad en la ejecución de ideas y proyectos	**Escasa disposición hacia la comunicación. Reserva. Rigidez. Dificultad en la puesta en práctica de ideas y proyectos**
Ligada: letras unidas.	*Desligada*: letras sueltas.
Agrupada: grupos de sílabas.	*Monótona*: regularidad en todos los géneros gráficos y en todo el texto.
Abierta: óvalos abiertos, «m» y «n» en guirnalda.	*Cerrada*: óvalos cerrados, «m» y «n» en arcada.
Progresiva: letra inclinada, óvalos abiertos a la derecha y gestos a la derecha. Ocupación de la zona derecha.	*Regresiva*: invertida, óvalos abiertos a la izquierda y gestos situados en la izquierda. Ocupación de la zona izquierda.
Rítmica: ritmo regular en todo el texto.	*Arrítmica*: ritmo irregular en todo el texto.

Como ya se ha comentado, en grafología es muy importante la visión de conjunto; un rasgo o una letra aislada nunca tienen un significado ni un valor por sí mismos. Por tanto, hay que hacer siempre una valoración global, para lo cual es muy útil conocer los géneros gráficos.

Por otra parte, hay que tener presente que la simplificación, la espontaneidad y la naturalidad en el grafismo siempre tienen una valoración más favorable que el grafismo muy elaborado o adornado. Aunque estética o caligráficamente la impresión sea agradable, su valoración grafológica nunca es tan favorable como en aquellos grafismos más sobrios o sobre todo cuando la escritura avanza en el papel con fluidez, independientemente del grado de cultura gráfica, intelectual o formativa que tenga su autor, puesto que hay personas con niveles formativos altos que tienen una letra rígida, carente de espontaneidad y que avanza en el papel con lentitud. En cambio, los grafismos de personas con un nivel formativo bajo presentan una letra sencilla que avanza en el papel con fluidez e incluso con cierta rapidez.

Hay que decir que la escritura angulosa indica, además de firmeza, fuerza y energía, dificultad en algunos aspectos e incluso dureza y agresividad. Asimismo, la escritura en la que predominan las curvas y formas redondeadas manifiesta menos fuerza energética, falta de fuerza afirmativa y debilidad en general, así como una tendencia a dejarse influir. Sin embargo, también indica suavidad, actitud conciliadora, facilidad en la consecución de muchos objetivos, tolerancia y afabilidad. Por tanto, ningún rasgo aislado tiene una valoración fija, sino que hay que situarlos en un contexto.

5

MÁS DATOS EN EL PROCESO DE ANÁLISIS: LAS LETRAS

La forma de las letras es uno de los aspectos más atractivos de la grafología, ya que lo primero que ve la persona al enfrentarse a un texto escrito a mano es una serie de letras que están dibujadas de una forma particular.

En muchos libros de grafología hay descripciones detalladas sobre las diferentes formas de cada una de las letras. Sin embargo, en mis dos libros anteriores ya comentaba que esta descripción, si bien es correcta, no deja de ser incompleta, ya que continuamente se elaboran formas diferentes de hacer una letra, por lo que es imposible clasificarlas. No obstante, podemos seguir unos criterios de valoración generalizados que pueden servir de guía en el momento de analizar una letra, independientemente de su forma.

Empecemos por la parte central de las letras minúsculas, es decir, los óvalos de las letras:

a o d g

Al óvalo hay que darle el valor relacionado con la zona media, ya que es ahí donde se encuentra:

- la necesidad de comunicación,
- la necesidad de proyección,
- la necesidad de autovaloración.

Cuanto mayor es el óvalo en relación con el resto de la escritura, mayor es la necesidad de comunicación y proyección, y mayor es la autoestima. Por el contrario, cuando el tamaño del óvalo es menor, también es menor la necesidad de comunicación y la autoestima.

Ahora bien, hay que hacer algunas diferenciaciones, ya que la letra «a» es representativa del «yo» en el ámbito social y la letra «o» representa el «yo» íntimo. Por tanto, es habitual encontrar en un mismo escrito letras «a» y «o» con un tamaño diferente, ya que una persona puede estar motivada por la comunicación en el ámbito social y ser reservada con su intimidad, de la misma manera que otra puede comunicarse muy bien en un plano íntimo/familiar y mostrarse menos dispuesta para la comunicación meramente social.

El hecho de que exista la necesidad de comunicación que observamos a través del tamaño no significa que dicha comunicación se produzca. Para ver que realmente existe, hay que observar si los óvalos, independientemente de su tamaño, están abiertos o cerrados, siguiendo siempre el simbolismo del espacio.

- *Abiertos a la derecha*: comunicación social.
- *Abiertos a la izquierda*: comunicación afectiva/familiar.
- *Muy abiertos*: persona muy comunicativa, casi en exceso, si el texto es positivo; persona que puede llegar a la indiscreción o charlatanería si el texto es negativo.
- *Cerrados*: reserva, discreción, si el texto se ha valorado como positivo; ocultación, falta de pronunciamiento, si el texto es negativo.

Además, en los óvalos pueden aparecer trazos reseguidos, rellenos o espirales. Todo ello es característico de personas que suelen volver sobre los temas de forma obsesiva y que ocultan sus intereses, inquietudes o pensamientos.

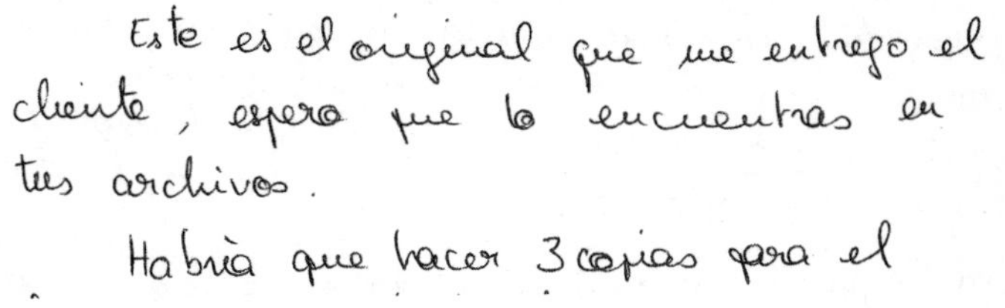

Este es el original que me entrego el cliente, espero que lo encuentras en tus archivos.
Habría que hacer 3 copias para el

Figura 11. Todos los óvalos de las «a» y «o» están cerrados. Además, en las «o» aparecen reseguidos y espirales.

La letra «d» se asocia con el plano intelectual, ya que tiene:

- una parte en la zona media = necesidad de comunicación,
- una parte en la zona alta = inquietud intelectual.

Por tanto, si el óvalo de la letra «d» es grande, significa que existe una necesidad de comunicación en el plano intelectual.

Así pues, por el tamaño obtenemos la necesidad de comunicación, en este caso en el plano intelectual. Hay individuos con una gran inquietud por ampliar sus conocimientos, pero que no tienen ninguna necesidad de transmitirlos o de comunicarse intelectualmente. Por este motivo, es necesario observar si el óvalo está cerrado o abierto:

- Óvalo de la «d» abierto = comunicación y fácil transmisión intelectual.
- Óvalo de la «d» cerrado = escasa disposición y dificultad en la comunicación y transmisión intelectual.

Es importante determinar la comunicación tanto social como intelectual o transmisión de conocimientos, sobre todo en personas que se desenvuelven en áreas de formación, relaciones humanas, públicas y comerciales; en fin, todas aquellas profesiones cuya principal actividad sea la comunicación y relación con los demás.

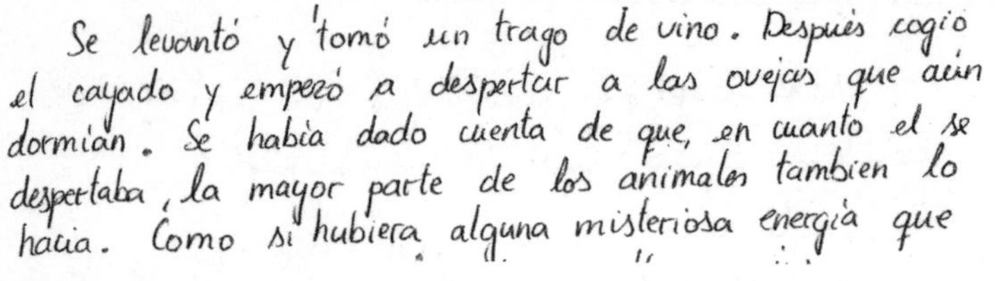

Se levantó y tomó un trago de vino. Después cogió el cayado y empezó a despertar a las ovejas que aún dormían. Se había dado cuenta de que, en cuanto él se despertaba, la mayor parte de los animales tambien lo hacia. Como si hubiera alguna misteriosa energía que

Figura 12. El óvalo de la «d» está cerrado, no hay apenas bucle en el hampa. Algunos óvalos de la «g» abiertos y la jamba forma bucle sin llegar a ligar con la letra siguiente, si bien hay que tener en cuenta que la letra es casi toda desligada.

La letra «g» se asocia con el plano sexual. Para esta letra, al tener el óvalo en la zona media, la interpretación es la misma que en el caso anterior en cuanto a comunicación, pero aquí la comunicación está centrada en la relación básicamente afectiva y, puesto que una parte de la letra, la jamba, está localizada en la zona baja, se relaciona con la demanda sexual.

El tamaño del óvalo de la «g» indica la necesidad de comunicación y de relación afectiva, y la existencia de apertura o no en dicho óvalo indica si hay o no disposición para esa comunicación.

En los óvalos también se pueden encontrar, además de las espirales y los reseguidos mencionados anteriormente, bucles. Puesto que se trata de gestos curvados, éstos inican que, independientemente de la necesidad de comunicación y de relación y de que ésta se produzca con mayor o menor facilidad, el trato es afable, cariñoso y atento. Así pues, hay que tener en cuenta que la curva significa siempre suavidad, facilidad y afabilidad, y el ángulo, dureza, dificultad y rigidez.

Seguimos ahora con las letras que tienen hampas y que, por tanto, ocupan la zona alta, como por ejemplo:

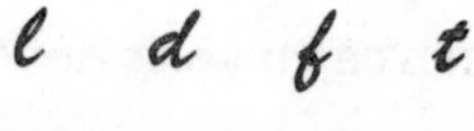

l d f t

Hay que fijarse tanto en la proyección que tienen las hampas hacia la zona alta como en la forma en que están dibujadas.

La mayor proyección hacia la zona alta en la letra «d» indica inquietud intelectual, y en la letra «f» es representativa de interés por otros aspectos que están localizados en esta zona, como fantasía, idealismo o inquietudes de tipo espiritual.

La letra «l», a pesar de que no es muy representativa, es un exponente más de estos aspectos.

Si observamos la forma de estas hampas, comprobamos que pueden ser o bien «secas», es decir, sin bucle, o bien presentar un bucle más o menos amplio. Puesto que este bucle está localizado en la zona alta, donde se sitúa la fantasía, cuanta mayor amplitud tenga, más interés por la fantasía tendrá el sujeto analizado, y viceversa. Así pues, si el hampa de esta letra es «seca», significa que en la persona analizada hay una falta casi total de fantasía, o sea, que tiene una visión sobria y muy realista.

Ahora bien, en cuanto a *la letra «d»*, además de la existencia de un bucle en el hampa, tenemos que observar si dicho bucle se realiza suavemente, con forma curvada, o si, en cambio, aparece en la parte superior del hampa, donde se realiza el giro, un ángulo. La proyección del hampa indica una mayor o menor inquietud intelectual; la forma bucleada, la capacidad de asimilación, y la existencia de curva o ángulo, una mayor o menor facilidad en el proceso de asimilación o aprendizaje.

- Forma bucleada con giro en curva = facilidad en la asimilación.
- Forma bucleada con giro en ángulo = dificultad en la asimilación.

En el caso de esta letra, también es importante detectar si se aplican los conocimientos adquiridos observando si se produce un rasgo de ligado con la letra siguiente. El gesto de unión con la letra siguiente, dado que es un gesto de avance y dirigido hacia la zona derecha, significa que la inquietud intelectual (representada por la proyección del hampa), el proceso de asimilación (representado por la forma bucleada de la misma) —independientemente de si ese proceso se ha efectuado con facilidad o dificultad—, se pone en marcha con la aplicación intelectual, que es lo que tiene mayor relevancia. Así, observaremos que en muchas personas, a pesar de haber adquirido un nivel formativo alto, no se trasluce un aprovechamiento del mismo, que es en realidad lo que da lugar a unos resultados.

También hay que señalar que la existencia de una forma bucleada en el hampa de la «d» pone de manifiesto la presencia de imaginación y que su proyección en realizaciones creativas también se corrobora con el ligado de la «d» a la letra siguiente.

No obstante, hay que hacer una matización, y es que, ante un grafismo cuyas letras están desligadas, no se puede afirmar que no existe una aplicación de los conocimientos ni creatividad, ya que, si dicho grafismo avanza en el papel con fluidez y rapidez y aparecen otros ligados, especialmente en la zona alta, como puntos de «i» con la letra siguiente y barras de «t» con otras letras, eso significa agilidad mental, desarrollo y realización intelectual y creatividad. Por eso hay que tener siempre presente que un gesto aislado nunca tiene una interpretación global y que hay que valorar cada gesto en función del conjunto de la escritura.

Respecto al hampa de *la letra «f»*, la interpretación se centra en la fantasía, en las inquietudes espirituales o idealistas. Si el conjunto de la letra presenta una presión pastosa, hay que decantarse por la fantasía, pero si el conjunto tiene una presión ligera y la letra en general es «seca», entonces puede que exista una inquietud espiritual o idealista. La amplitud del bucle señalará una mayor o menor presencia de fantasía, y la existencia de curva o ángulo en el giro indicará la mayor o menor facilidad con que se vive esa fantasía o idealismo, pues en ocasiones estas tendencias existen, pero se contienen o reprimen de alguna manera (presencia de ángulos en el giro del hampa) o se proyectan con facilidad (presencia de curvas en el giro).

Como en la letra «d», la existencia de un rasgo de ligado con la letra siguiente evidencia la realización de esas inquietudes, ya sean fantasiosas, idealistas o espirituales, o la no realización de las mismas si la letra no está ligada. Pero aquí también hay que tener en cuenta los mismos matices expuestos en la letra «d» sobre si el conjunto del grafismo analizado está desligado.

En cuanto al hampa de *la letra «t»*, es importante tanto su proyección hacia la zona alta como la firmeza (presión) con que está realizada. La mayor proyección de la misma significa motivación por el mando (aspecto que se localiza en la zona alta del simbolismo del espacio), algo que hay que corroborar con otros rasgos de la misma letra, como la situación de la barra. También es necesario observar si el hampa se realiza en un solo trazo bien presionado, sin temblores ni torsiones.

- Trazado de la «t» con presión fuerte = firmeza de carácter, seguridad, energía.
- Trazado de la «t» con presión ligera = carácter débil, inseguridad.
- Trazado de la «t» con forma curvada = influenciable, escasa decisión.
- Trazado de la «t» con torsiones o temblores = dudas, problemas motrices o algún tipo de patología.

Si la base del hampa de la «t» es angulosa, corrobora la firmeza y seguridad ya observadas con la forma del hampa. De la misma manera, si la base es curvada, entonces ésta indica debilidad de carácter. No obstante, se puede encontrar un hampa firmemente presionada con una base curva, y viceversa. En el primer caso, significa que, a pesar de ser una persona firme y segura, su actitud no es muy enérgica, y en el caso de encontrar un hampa no tan presionada o curvada pero con la base angulosa (situación menos frecuente) significa que su actitud es suave, indecisa e incluso que es influenciable, pero una vez toma una decisión o en algunos momentos determinados, actúa con energía.

También es muy importante observar si el hampa de la letra «t» se apoya en la línea de la base del grafismo, si queda suspendida sobre esa línea o si la supera.

- Si la base de la «t» se apoya = firmeza, decisión, seguridad y responsabilidad.
- Si la base de la «t» queda suspendida = inhibición, falta de decisión, irresponsabilidad.
- Si la base de la «t» supera la línea = imposición desbordada, interés material destacado.

En este último ítem, hay que tener en cuenta que la letra está ocupando una zona que caligráficamente no le corresponde, lo cual indica un interés notorio por los aspectos situados en esta zona; habitualmente es el aspecto material, pero debemos corroborarlo con otros rasgos. Si la zona predominante en el simbolismo del espacio es la baja y se han descartado los otros aspectos situados en esta zona, podemos tener la seguridad de que se trata de un destacado interés en el plano económico.

El hecho de que existan tantas variables hace prácticamente imposible dar una definición de una determinada forma de una letra. Por ello resulta más útil saber qué significado o valor tiene cada una de las partes de una letra, es decir, desglosarla y, siguiendo el simbolismo del espacio, hallar su interpretación.

Veamos ahora las letras que tienen jambas y su interpretación:

f g j

En el caso de la «f», la mayor o menor proyección hacia la zona baja implica una mayor o menor motivación en el plano económico. Si la forma de la jamba es amplia, igual que en el hampa, significa fantasía, pero en este caso sobre cuestiones materiales. Es propio de personas que fantasean sobre proyectos económicos o sobre sus posibilidades en este plano. Cuanto mayor sea el bucle, mayor será la fantasía. Si la letra está ligada a la letra siguiente, puede indicar que esos proyectos, aunque son fantasiosos, en ocasiones se llevan a término, o al menos se intenta llevarlos a cabo. La existencia de ángulos en esta parte de la letra manifiesta que esa fantasía se vive con dificultad o incluso que se intenta controlar. Si la forma es curvada, tal como se ha mencionado en las hampas, esa fantasía se vive sin dificultades.

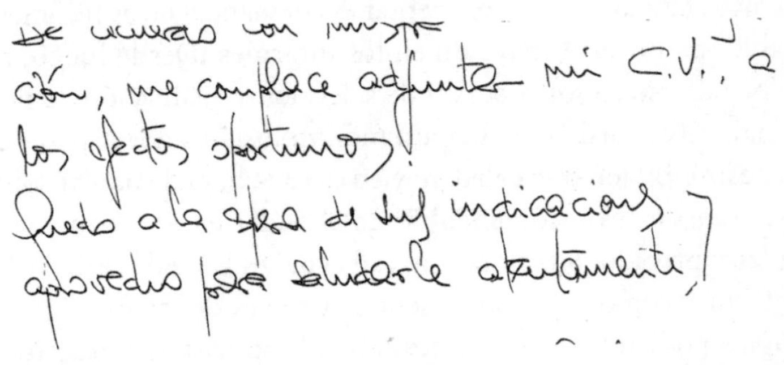

Figura 13. Las jambas, algunas con bucle, se proyectan con claridad hacia la zona baja. También hay algunas hampas con bucle, pero la letra «d» se dibuja «seca». Los rasgos de algunas letras, como las «s» e incluso las «t», se proyectan hacia la zona baja. Se trata de una letra muy angulosa.

La letra «j» no tiene una representación por sí misma; sólo la mayor o menor proyección de su jamba es un referente más del simbolismo del espacio.

En cuanto a la letra «g», la proyección de la jamba se asocia a la demanda sexual. Así, a mayor proyección, mayor demanda. También es importante observar la amplitud de la jamba, puesto que sigue significando fantasía, pero en esta ocasión fantasía erótica. La presencia de ángulos en el giro del bucle al formar la jamba, así como cualquier parada, torsión o gesto que dificulta un dibujo fluido de la letra, evidencia dificultad en el plano sexual —problemas de represión, inhibición o de cualquier otra índole—, una dificultad que impide un proceso en la realización sexual. Por otra parte, el ligado de esta letra a la siguiente indica que la realización en este plano es satisfactoria. De nuevo, aquí hay que tener en cuenta también lo expuesto en cuanto a la letra desligada, ya que si todo el grafismo es desligado, no se puede afirmar rotundamente que no hay realización sexual.

No obstante, sobre el plano sexual siempre suelo hacer la misma advertencia a mis alumnos: a no ser que haya una demanda explícita del solicitante del análisis y que además tengamos claro que debemos aceptar esa demanda, no es recomendable incluir este apartado en los informes. Desde luego, no debe hacerse en los procesos de selección y evaluación de personal, salvo, insisto, si hay un motivo justificado. A pesar de la desinhibición que existe hoy en día a la hora de hablar sobre estos temas, es recomendable no ahondar en algo tan particular y privado. Sin embargo, cada cual es libre de realizar los informes como crea conveniente. A través del análisis grafológico podemos evaluar la sexualidad con bastante exactitud, no sólo por medio de la letra «g», sino también a través de otros muchos rasgos, como la presión del grafismo en general, la pastosidad o ligereza del mismo, y otros que veremos más adelante.

Las letras que se dibujan en la zona media son:

c r s m

La letra «c», al ocupar la zona media, es decir, la zona del «yo», también tiene un significado afín al «yo» porque está realizada con un gesto que va hacia dentro de la letra. Este gesto es característico de una persona centrada en sí misma, actitud que puede pasar del egocentrismo al egoísmo en función de lo exagerado que sea este gesto y de la valoración del texto, ya que cuanto más negativo sea el texto, más egoísta será la actitud. Por otra parte, la existencia de bucles pequeños en esta letra evidencia el deseo de agradar o de llamar la atención sobre uno mismo, igual que si existe un trazo de inicio, ya que éste, al estar situado en la zona izquierda, refuerza los aspectos de esta letra e indica que la persona es conservadora.

La letra «r» puede dibujarse de forma suave, curvada y con forma angulosa. Esto refuerza lo observado sobre la libido, es decir, la energía del individuo analizado:

- «r» en forma de ángulo = capacidad energética alta, capacidad de trabajo,
- «r» en forma curvada = menor capacidad energética y de trabajo,
- «r» en forma de «v» = independientemente de la capacidad energética se obtiene un aprovechamiento de esta capacidad.

La presencia de bucles en la realización de esta letra implica un trato afectuoso y amable con las demás personas, puesto que está localizada en la zona media. Si estos bucles se sitúan en la derecha, dicho trato se produce con mayor facilidad en el ámbito social. Si el bucle está localizado en la izquierda de la letra, ese trato se da con la familia o en las relaciones más íntimas.

Hay algunas «r» que se realizan con forma de «i» sin punto. Esta forma tan angulosa y seca de hacer la letra, unida a otros rasgos, manifiesta un genio fuerte que no siempre se controla.

La letra «s», también localizada en la zona media, se asocia con los criterios. El hecho de dibujar una «s» con una forma caligráfica en la que posiblemente aparezca un rasgo de inicio que se sitúa en la zona izquierda indica que la persona es conservadora y tradicional y que se aferra a criterios preestablecidos, ya sean educativos o familiares. Si, además, la letra se elabora con una forma cerrada y con ángulos, este enfoque conservador también es cerrado, intransigente e intolerante, todo ello con mayor o menor intensidad en función del porcentaje del texto positivo o negativo que se haya obtenido. Si, por el contrario, la forma de la «s» es personal, es decir, no parte de un modelo caligráfico y la forma es curvilínea y además está abierta, se trata entonces de una persona con criterios personales, abiertos y con una postura transigente y tolerante. Ahora bien, si la forma es muy curvada, la presión muy ligera o, por el contrario, pastosa, y además el texto es negativo o con un porcentaje muy justo de positivo, nos encontramos ante una persona con los criterios apenas formados, influenciable y, más que tolerante, permisiva.

Es posible encontrar «s» cuya forma se eleve sobre la zona media, lo cual se interpreta como exaltación de ideas o incluso tendencia al fanatismo, ya que ocupa una zona que no le pertenece, la alta.

Ara, tot és patètic. Per poc malament que et quedin
uns pantalons, de seguida hi ha algú que diu: "Et
queden patètics." Si un sopar va ser mínimament
avorrit te l'expliquen dient: "Va ser un sopar patètic."
Fa cosa d'un mes, per explicar que és mentida que

Figura 13 bis. La letra «r» se realiza en forma de «v». Algunas «s» tienen una forma redondeada y abierta y otras un estilo tipográfico. La letra «m» se dibuja en arcada y con bucles. El resto de hampas y jambas son secas.

El valor de la letra «m» es un reforzante global. Si se realiza en forma redondeada, haciendo puentes, es un aspecto más en el cómputo de evaluación del grafismo como letra cerrada, y si, por el contrario, se realiza en guirnalda, es un cómputo más de letra abierta. Además, la presencia de bucles en esta letra evidencia suavidad y afabilidad en el trato, y esto deberá sumarse a los bucles que se hayan encontrado en otras letras. Por otra parte, si la forma es seca, sin bucles e incluso formando ángulos, la interpretación es de rigidez, trato difícil y rígido, algo que posiblemente también se habrá observado en otras letras. Esta interpretación también es aplicable a la letra «n».

i t

La importancia de la letra «i» radica en el punto, en su situación, forma y presión. También analizaremos la situación y la forma de la barra de la letra «t».

Siguiendo, como siempre, el simbolismo del espacio, empezaremos con la interpretación del punto de la «i»:

- Situado alto = idealismo, tendencias espirituales, imaginación o fantasía.
- Situado en medio = visión realista, equilibrio entre espíritu y materia.
- Situado bajo = materialismo, visión muy realista y prosaica.
- Situado a la derecha = tendencia a la comunicación.
- Situado a la izquierda = tendencia al retraimiento.
- Situado centrado = equilibrio entre las anteriores tendencias.

Si el punto está firmemente presionado, corrobora lo que se habrá observado sobre carácter firme, seguro e incluso algo impositivo.

Si está débilmente presionado, de manera que casi no es perceptible, corrobora también lo que posiblemente ya se haya observado sobre carácter débil, inseguro y escasa afirmación.

Si el punto está apoyado o pastoso, evidencia una actitud de contundencia e imposición que puede llegar a ser física, lo cual tendrá que corroborase con otros rasgos.

En algunos grafismos el punto de la «i» está ligado a la letra siguiente, lo cual es una muestra de agilidad mental, lógica y creatividad. De la misma manera, el hecho de hacer el punto de la «i» en forma angulosa confirma lo que ya se ha puesto de manifiesto sobre energía, firmeza o dureza e imposición, del mismo modo que si la forma es redondeada indica que la persona es suave, blanda e incluso relajada e influenciable.

Las formas extrañas y elaboradas en los puntos señalan, como siempre que se aprecien formas de este tipo en cualquier grafismo, comportamientos extraños, elaborados, fantasiosos y poco claros.

Respecto a la barra de la «t», igual que en el caso del punto hay que basar la interpretación siguiendo el simbolismo del espacio:

- Barra situada alta = motivación por el mando.
- Barra situada baja = fácil aceptación del mando, sumisión, servilismo.
- Barra situada en el punto medio = facilidad para ejercer el mando y para aceptarlo.
- Barra situada a la derecha = reafirma la tendencia hacia la comunicación.
- Barra situada a la izquierda = reafirma la escasa tendencia hacia la comunicación.
- Barra situada en el punto medio = equilibrio entre ambas tendencias.

No obstante, hay que tener siempre presente la valoración del texto en cuanto a positivo o negativo, ya que la motivación por el mando en positivo puede devenir en dotes para ejercerlo. En cambio, en un texto valorado como negativo, la misma situación de la barra de la «t» manifiesta que la persona tiene afán de mando y que lo ejerce de forma autoritaria y dictatorial.

Una barra baja significa, en un texto positivo, fácil aceptación del mando y, en uno negativo, servilismo o sumisión.

Por otra parte, la situación de la barra en el punto medio denota capacidad para asumir funciones directivas y para aceptar órdenes (mandos intermedios). Sin embargo, si el texto es ne-

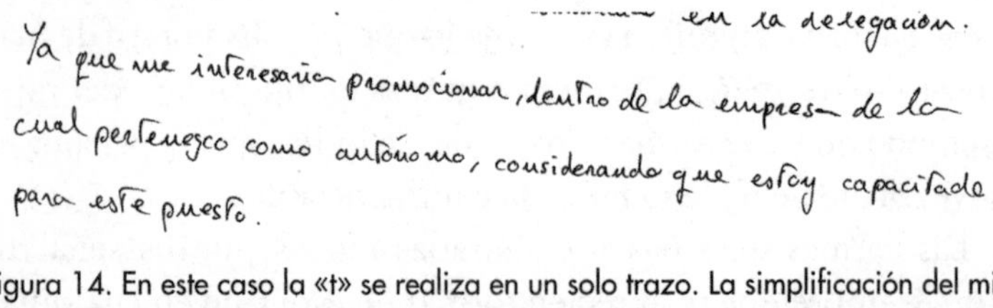

en la delegación.
Ya que me interesaría promocionar, dentro de la empresa de la
cual pertenezco como autónomo, considerando que estoy capacitado
para este puesto.

Figura 14. En este caso la «t» se realiza en un solo trazo. La simplificación del mismo manifiesta agilidad mental, así como la fuerza del gesto final o barra indica también cierta agudeza mental. En cambio, el hampa queda suspendida, no se apoya en la base.

gativo, es propio de personas que adoptan posturas de mando y de servilismo según les conviene.

También es relevante la forma como se elabora la barra de la «t», a veces recta y bien presionada y otras veces con forma curvada. Debemos valorar cada una de estas formas siguiendo la idea de que la firmeza en el trazo es también firmeza de carácter, seguridad y energía. A la hora de analizar la curva, la suavidad o la escasa afirmación siempre deberemos tener en cuenta si el texto es positivo o negativo. La barra de la «t» puede acabar afinando el trazo, de manera que éste sea acerado o aumente su grosor en forma de maza. En el primer caso, será representativo de agudeza, sutileza, agilidad mental y tendencia a la ironía, y en el segundo, de fuerza contundente que puede llegar a ser física. A partir de aquí deberemos valorar todas aquellas formas extrañas, elaboradas o cualquier forma que aparezca en la barra de la «t», así como en cualquier otra letra, siguiendo la norma de que a mayor simplificación y sobriedad en los trazos, mayor sobriedad, naturalidad y sencillez en el comportamiento y actitudes de la persona analizada. De la misma manera, toda elaboración, profusión de adornos e incluso rasgos extraños indica que la persona es complicada, que de alguna manera adorna y elabora sus actitudes y que puede tener también comportamientos y reacciones extrañas o poco frecuentes, así como muy elaboradas y pocas veces espontáneas.

En resumen, a la hora de valorar cualquier letra es conveniente tener en cuenta cada una de sus partes en función del simbolismo del espacio, la presión con que está ejecutada y su correlación con el conjunto del grafismo. No se puede afirmar que la persona que hace una «o» grande tiene una gran autoestima si todo el grafismo es grande y, al contrario, no se puede decir que una persona se infravalora porque la «o» es pequeña si todo el grafismo tiene el mismo tamaño. Además, y esto es lo más importante, hay que estudiar la letra teniendo en cuenta si el texto es positivo o negativo, tal como se ha hecho en el caso de la «t». Al mismo tiempo, se debe tener presente que las letras refuerzan otros aspectos del análisis que hay que corroborar. Por ejemplo, si el grafismo se ha valorado como libido débil, no es lógico que veamos la letra «r» angulosa y las bases de la letra «t» también angulosas, puesto que estos rasgos son objetivos; lo más probable que es que haya habido algún error en la valoración de la libido. Por ello, cada una de las partes y los pasos del análisis deben irse corroborando y complementando. Si alguna de las partes del análisis no encaja, querrá decir que se ha cometido un error. En ese caso, debemos detectarlo y solucionarlo, ya que una valoración errónea dará como resultado un análisis y un informe erróneos.

Ejercicio

Valorar la forma de las letras de este grafismo y hacer su interpretación siguiendo las pautas indicadas anteriormente.

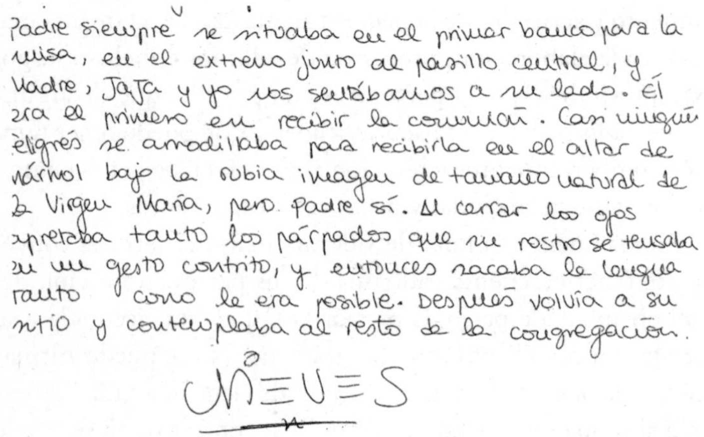

Padre siempre se situaba en el primer banco para la misa, en el extremo junto al pasillo central, y Madre, Jaja y yo nos sentábamos a su lado. Él era el primero en recibir la comunión. Casi ningún feligrés se arrodillaba para recibirla en el altar de mármol bajo la rubia imagen de tamaño natural de la Virgen María, pero Padre sí. Al cerrar los ojos apretaba tanto los párpados que su rostro se tensaba en un gesto contrito, y entonces sacaba la lengua tanto como le era posible. Después volvía a su sitio y contemplaba al resto de la congregación.

NIEVES

Figura 15. Hay que resaltar la forma un tanto original de hacer la «E» mayúscula, que contrasta con la forma algo infantil del punto de la «i».

6

QUÉ NOS CLASIFICA Y A LA VEZ NOS DIFERENCIA: TEMPERAMENTOS

¿Qué son los temperamentos? Los filósofos y los médicos de la antigua Grecia fueron los primeros que, para comprender al hombre, sintieron la necesidad de establecer una tipología.

«El esfuerzo de comprensión psicológica —escribe J. Nuttin— ha consistido siempre en hallar, por debajo de la multiplicidad de las conductas y características que distinguen a los individuos, algunas dimensiones más fundamentales en las que se apoyan esas diferencias y que las inducen a una cierta unidad de estructura.»

La observación de actitudes y reacciones similares que se daban en determinados individuos propició la clasificación de los temperamentos. Hipócrates fue uno de los primeros en realizarla. Él asociaba esa similitud con factores fisiológicos, de ahí la relación que se ha establecido durante muchos años entre el físico de una persona y su carácter.

No obstante, fue Galeno, médico anatomista griego, quien muchos años después elaboró esta teoría de Hipócrates y creó la tipología que ha llegado hasta nuestros días. Galeno clasificó los temperamentos de la siguiente manera: bilioso, sanguíneo, nervioso y linfático.

A través del conocimiento de las actitudes, las reacciones y los comportamientos de los individuos que se engloban en cada una de estas tipologías, podemos tener una visión clara y profunda de las personas y entendemos más fácilmente aquellos comportamientos que a veces nos resultan extraños o incomprensibles, puesto que posiblemente difieren mucho de la reacción que nosotros tendríamos ante el mismo hecho.

Ahora bien, ¿de qué manera podemos ver a través de la grafología con qué temperamento se corresponde la personalidad de quien estamos analizando? Fue el doctor Periot, médico y grafólogo francés, quien estableció los rasgos grafonómicos de cada uno de los aspectos de los cuatro temperamentos.

Por ejemplo, una característica del temperamento sanguíneo es la tendencia a la sociabilidad, por lo que el rasgo o aspecto gráfico que debe hallarse en la escritura de una persona con temperamento sanguíneo es la letra inclinada a la derecha, con un tamaño de medio a grande, los óvalos abiertos a la derecha y la firma situada a la derecha del texto.

Por otra parte, un comportamiento característico del temperamento nervioso es la variabilidad de humor, la inestabilidad emotiva. Uno de sus rasgos gráficos es que el tamaño y la inclinación de la letra van cambiando, y también hay óvalos abiertos y cerrados.

Por tanto, es importante conocer primero detalladamente las características de cada uno de los temperamentos y después identificar los rasgos gráficos correspondientes.

No obstante, hay que aclarar que en los individuos no predomina un único temperamento, sino que suele existir una combinación de dos o más, o sea, que habitualmente una persona puede tener la combinación sanguíneo-linfático, bilioso-nervioso, bilioso-linfático, nervioso-sanguíneo, etc. Esto complica un tanto la valoración, ya que lo realmente fácil sería hallar en una persona un solo temperamento y describirlo, pero, si fuéramos así, seríamos unos personajes muy poco complejos y bastante aburridos. Precisamente lo que aporta diversidad y complicación a una personalidad son esas combinaciones, si bien es verdad que también dan lugar a que el análisis grafológico resulte difícil. Sin embargo, los resultados son realmente gratificantes, puesto que al describir los matices que aporta esa combinación, se dibuja de forma completa a la persona analizada.

No todas las escuelas grafológicas utilizan esta clasificación en su metodología de análisis. Incluso algunas escuelas o algunos profesionales son detractores de este sistema de análisis. Mi lema es participar y comunicar aquello que conozco y practico con buenos resultados, y esto es lo que he observado durante toda mi carrera profesional. Muchos alumnos, especialmente los que son psicólogos, en un principio muestran su asombro ante la utilización de esta clasificación, pero una vez la han usado, casi todos son partidarios de la misma.

Por otra parte, hay que tener claro que la mayoría de clasificaciones y tipologías que han ido surgiendo a partir de la de Hipócrates, y especialmente a partir del siglo pasado, con el auge de la psicología y de los test psicológicos, parten de la de los temperamentos, con más clasificaciones y complejas descripciones.

Como decía en el primer capítulo, muchos autores literarios describen a sus personajes con actitudes y comportamientos generalizados, y en muchos casos establecen una relación no sólo entre su carácter y su forma de escribir, sino también, y esto es aún más frecuente, entre su físico y su carácter. En sus descripciones, Dickens asociaba muchas veces a los personajes obesos con actitudes alegres y pacíficas, y a los personajes delgados o enjutos les atribuía un carácter agrio y malhumorado. Por otra parte, el personaje del avaro de Molière ha quedado como un ejemplo de esa manera de actuar, de la misma forma que el idealismo fantasioso se ha asociado siempre con el personaje del Quijote.

En mis clases, a la hora de explicar los comportamientos, las actitudes y las reacciones de los individuos, busco ejemplos de la literatura y especialmente del cine, incluso de series de televisión, ya que esas actitudes y comportamientos van acompañados de un físico que hace más fácil establecer un paralelismo entre sus actuaciones y su apariencia. No se trata de que ese paralelismo sea fidedigno, pues sirve para explicar gráficamente acciones y modos de expresarse. Por ejemplo, para describir la exuberancia, la expresividad, la necesidad de espacio vital y la viveza propias del temperamento sanguíneo, suelo recurrir al personaje de Filomena Marturano de la película dirigida por Vittorio de Sica *Matrimonio all'italiana*, interpretada por Sophia Loren. Almodóvar, director de *Volver*, tal vez hizo que Penélope Cruz, protagonista de esta película, se fijara en la actuación de Sophia Loren en *Matrimonio all'italiana* y en otras, ya que esta actriz, en la mayoría de sus películas, ha interpretado a personajes similares: vitales, alegres, expansivos y expresivos, todos ellos muy asimilables al temperamento sanguíneo. Últimamente, Grissom, interpretado por William Petersen, de la serie norteamericana *CSI: Las Vegas*, es un buen ejemplo para explicar el temperamento bilioso. Su precisión, metodología, sobriedad, moderación e incluso rigidez y frialdad en muchos momentos son un claro exponente de ese temperamento. De esta manera podemos ir encontrando referentes. Incluso en cada uno de los personajes de la serie norteamericana *Mujeres desesperadas* podemos hallar todos los temperamentos: el que tiene menos presencia es el linfático, pero el bilioso (en su versión negativa) está claramente representado por el personaje perfecto y obsesivo de Bree, el sanguíneo por Edie, que es el temperamento que prácticamente más impera unido al nervioso, ambos representados por Lynette, Susan y Gabrielle.

En la película *La flor de mi secreto*, de Pedro Almodóvar, el personaje protagonista, interpretado por Marisa Paredes, es un claro exponente de la combinación de temperamento nervioso y sanguíneo, ya que es extremadamente emotiva, sensible, inestable, con momentos trágicos rayanos con la tragicomedia, pero también representa el temperamento bilioso, que se manifiesta en su faceta de escritora. En la película se ve claramente la letra de la protagonista: ese grafismo es un reflejo de esa combinación, aunque no sé si Almodóvar se asesoró para que la letra fuera tan representativa de ese carácter o si fue producto de la casualidad. Éste es un ejemplo de que aun siendo de forma casual o no, la correlación entre el grafismo que aparece de una persona y su carácter es correcta. En cambio, en otras ocasiones se producen errores importantes. En el siguiente caso no se trata de un error en la correlación entre el carácter y el grafismo, lo cual podría ser más excusable, sino que es un error de documentación. Me refiero a la película *Indiana Jones y la última cruzada*, de Steven Spielberg, en la que, cuando el protagonista se encuentra cara a cara con Hitler, éste le firma un libro y la cámara enfoca claramente la firma, que no se parece en nada a la auténtica firma de Hitler.

Lo que acabo de exponer es un simple ejemplo de cómo el cine puede servirnos para aprender a reconocer más fácilmente las actitudes de las personas y comprobar a través de las mismas si encajan en una determinada combinación temperamental.

Cualquier personaje político, histórico o de actualidad que tenga una personalidad característica puede servir como ejemplo de alguno de los temperamentos. Por ejemplo, el emperador Nerón representa, en negativo, el temperamento linfático; en cambio, también lo representan, aunque con un cariz más positivo, Churchill y otros estadistas.

Si bien, como ya he dicho anteriormente, no suele predominar un solo temperamento, a continuación expongo los aspectos más significativos de cada uno de los temperamentos y sus correspondientes rasgos grafonómicos.

6.1. TEMPERAMENTO SANGUÍNEO

Aspectos personales	Grafonomía
Agilidad mental, rapidez en las reacciones y acciones, dinamismo.	Letra rápida/precipitada.
Seguridad, energía, carácter fuerte. Actitud proactiva.	Presión firme.
Impulso, optimismo. Espíritu emprendedor.	Dirección ascendente. Gestos adelantados a la derecha.
Expresividad que puede ser grandilocuente.	Letra adornada, ampulosa.
Autosatisfacción, necesidad de comunicación intelectual/social/afectiva.	Tamaño grande/medio.
Necesidad de espacio y ocupación del mismo.	Hoja ocupada, sin apenas márgenes.
Invasión del espacio de los demás. Actitud envolvente/absorbente. Emotividad.	Invasiones, letra movida, variable.
Puesta en práctica de acciones y decisiones, disposición hacia la comunicación social y afectiva.	Letra progresiva: abierta a la derecha, gestos adelantados.
Sociabilidad, fácil relación y comunicación.	Letra inclinada, abierta.
Seguridad, autovaloración elevada, prepotencia, exuberancia.	Firma grande, ampulosa y situada a la derecha del texto.

Aunque hay más aspectos, estos diez ítem son los más característicos del temperamento sanguíneo y permiten hacerse una idea de cómo es una persona en la que predomina esta combinación e identificar los aspectos gráficos correspondientes.

Este temperamento tiene muchos aspectos positivos, ya que una persona segura, dinámica, mentalmente ágil, con facilidad para la comunicación y las relaciones sociales, así como expresiva y enérgica, configura una personalidad atractiva y en la mayoría de ocasiones suele tener una trayectoria efectiva. No obstante, hay que precisar que estos aspectos pueden tener su versión negativa, además de los que ya lo son por sí mismos, como la prepotencia. Por tanto, si el texto se ha valorado como negativo, hay que tener en cuenta que la fuerza de carácter, la facilidad para establecer relaciones sociales, la desenvoltura y la energía que tiene una persona con este temperamento puede desembocar en actuaciones irregulares y comportamientos francamente preocupantes.

Por otra parte, hay que tener presente los aspectos comentados anteriormente, ya que una persona puede tener dos o incluso en ocasiones tres temperamentos, aunque siempre hay uno que predomina. Por tanto, sus aspectos característicos también predominarán.

Ja hem tingut ocasió de parlar algun cop per
Telèfon, i ara aprofito aquest escrit per presentar-me.
Hem dic i tinc 30 anys. Sóc companya
d'estudis del ... o més ben dit, de
penúries. Tot i això, espero que aviat ho sigui
També d'alegries com: HEM APROVAT!!!

Figura 16. El tamaño de la letra es de medio a grande, está inclinada y tiene una forma curvilínea; las jambas se proyectan hacia la zona baja y avanza con una velocidad entre pausada y rápida. La presión es firme y progresiva. Estos aspectos, unidos al tamaño de la firma, su dirección ascendente y su forma algo ampulosa, indican una clara presencia del temperamento sanguíneo. Este grafismo es de una joven licenciada en Derecho que trabaja en un ayuntamiento y prepara oposiciones a la administración pública del Estado.

6.2. TEMPERAMENTO BILIOSO

Aspectos personales	Grafonomía
Capacidad de concentración.	Texto concentrado.
Rapidez mental, reflexión y decisiones meditadas. Precisión.	Letra rápida/pausada. Clara.
Seguridad, firmeza, energía. Actitud proactiva.	Presión firme.
Estabilidad, moderación.	Dirección horizontal.
Escasa disposición para la comunicación, pero relación fluida.	Letra vertical/inclinada.
Ajustada autovaloración.	Tamaño moderado.
Parquedad en las expresiones, trato correcto.	Letra sobria.
Reserva, discreción.	Letra semicerrada.
Puesta en práctica de acciones y decisiones.	Letra progresiva.
Simplificación, concreción y equilibrio.	Firma de tamaño moderado y sobria. Situada en el centro de la página.

Las personas en las que predomina este temperamento se caracterizan por su sobriedad y estabilidad. La imagen es siempre serena y moderada. Ahora bien, tal como ya se ha expuesto en el temperamento anterior, estos rasgos con un sentido positivo propician una trayectoria también positiva, pero con un sentido negativo son realmente desfavorables, puesto que son personas frías y distantes, que actúan según creen conveniente sin tener en cuenta los intereses o sentimientos de los demás. En general, y aun cuando la evaluación del texto sea positiva, no son personas muy adecuadas para el contacto directo, ya que no se sienten motivadas por el mismo y suelen eludirlo. No obstante, paradójicamente, su comportamiento social en muchos casos es efectivo e incluso brillante, ya que tienen la facultad de hacer bien todo aquello que se proponen.

Esta es una de las muchas cuestiones sobre el sistema
planetario solar que se abordan en PLANETAS. Combinan-
do amenidad y rigor, Eduardo Battaner consigue en este
libro reflejar con precisión los rasgos esenciales de la as-
tronomía y astrofísica de los planetas.

Figura 17. El tamaño es moderado y tiene una inclinación vertical. Hay equilibrio de zonas. Avanza de forma pausada (la letra está agrupada). Se aprecian ligados en la zona alta, la presión es de media a firme y es progresiva. Todos estos aspectos se mantienen con regularidad, pero sin monotonía. Si bien la firma es algo grande, su simplificación y sobriedad, igual que la sobriedad del texto en general, indica la presencia del temperamento bilioso. Se trata de una escritura de una joven licenciada en Química, que trabaja en una empresa de diagnóstico *in vitro*.

6.3. TEMPERAMENTO NERVIOSO

Aspectos personales	Grafonomía
Viveza mental. Creatividad.	Letra movida, formas personales.
Difícil concentración.	Texto desordenado/confuso.
Destacada emotividad, sensibilidad.	Inclinación variable, formas muy angulosas.
Autovaloración fluctuante.	Tamaño pequeño/variable.
Idealismo, fantasía. Inseguridad, escasa energía y capacidad de decisión.	Presión ligera y variable.
Disposición para la comunicación variable. Relación social variable.	Letras abiertas y cerradas, inclinación variable. Ángulos y acerados. Letras inhibidas.
Variaciones en el estado de ánimo y en la actividad, ritmo irregular.	Dirección irregular.
Tanto expresividad exuberante como parquedad.	Letra adornada y también simplificada.
Puesta en práctica de ideas y proyectos no siempre fácil.	Letra regresiva, aunque también puede haber rasgos progresivos.
Creatividad. Inseguridad, insatisfacción. Versatilidad.	Firma situada en cualquier zona. Entretejida, con rayas que la cruzan y tachan. Original.

La palabra que más he mencionado a lo largo de todos los ítem es «variabilidad», porque es la característica más destacable de las personas en las que predomina el temperamento nervioso. Son personas vivaces, muy sensibles, inquietas y creativas. Pasan con facilidad de la euforia al desánimo, de la confianza en sus posibilidades al sentimiento de inferioridad. La relación y convivencia con este tipo de personas es difícil y agitada, pero raramente aburrida.

En este caso, la valoración del texto es tan importante como en los otros casos. Posiblemente, la primera percepción que se tiene de este temperamento es negativa, aunque, a pesar de que son personas difíciles y complejas, sus actitudes no son problemáticas o irregulares. Ahora bien, cuando la valoración sí es negativa, se trata realmente de personas conflictivas con las que la convivencia resulta casi imposible.

Podemos encontrar tanto individuos con un comportamiento eufórico, comunicativo y vivaz, como otros con una actitud introvertida, muy distante y cerrada. Asimismo, una misma per-

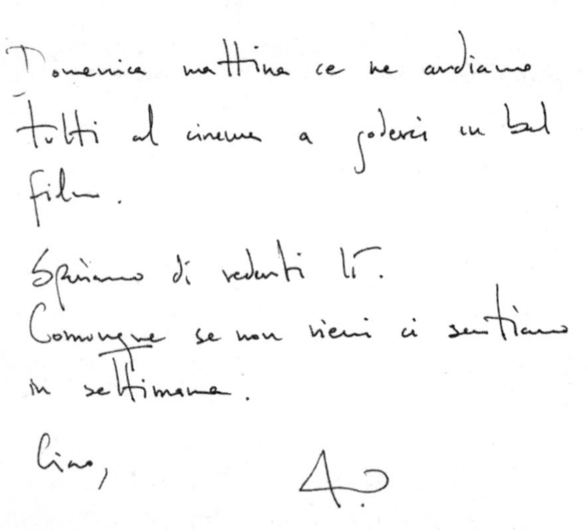
Domenica mattina ce ne andiamo
tutti al cinema a goderci un bel
film.
Speriamo di vederti lì.
Comunque se non vieni ci sentiamo
in settimana.
Ciao,

Figura 18. El tamaño en general es pequeño y variable. La inclinación de las letras también es variable, la forma es seca e imprecisa, pero también hay rasgos originales y creativos, sobre todo en la firma. Todo ello denota la existencia del temperamento nervioso. Se trata del grafismo de un arquitecto.

sona puede actuar de las dos maneras en un intervalo de tiempo muy reducido. Por tanto, es evidente que son personas complejas. No obstante, suelen ser creativas y tener una sensibilidad especial, así como un cierto atractivo por el cual resultan bien aceptadas en muchos ámbitos.

6.4. TEMPERAMENTO LINFÁTICO

Aspectos personales	Grafonomía
Reflexión, minuciosidad, observación, retentiva.	Ritmo lento, letra precisa.
Seguridad/inseguridad. Conformismo.	Puede ser de cualquier tamaño, el cual se mantiene con regularidad.
Escasa actividad, ritmo lento pero muy regular.	Presión pastosa y regular.
Estabilidad, falta de emotividad.	Dirección horizontal o cualquier otra que se mantiene con regularidad. Cualquier inclinación que se mantiene con regularidad.
Realización precisa, metódica, rutinaria.	Letra precisa, ordenada, monótona.
Sin disposición para la comunicación intelectual/social/afectiva. Aun así, relación fluida y afable.	Letra vertical/inclinada, ligada. Redonda.
Reserva, falta de pronunciamiento.	Letra cerrada, reseguidos.
Actitud convencional. Conservadora. Falta de criterios propios. Persona influenciable.	Letra caligráfica, infantil.
Condicionantes y retraimiento a la hora de poner en práctica ideas y proyectos.	Letra regresiva: invertida, gestos hacia la izquierda.
Autocomplacencia. Adaptación acomodaticia. Aptitudes artesanales.	Firma grande, situada en el centro. Con formas redondas y envolventes.

Posiblemente éste es el temperamento menos favorecido, pero, como todos, tiene sus facetas positivas y negativas. El orden minucioso, la reflexión, memoria, precisión y regularidad, así como su estabilidad de carácter, son aspectos que configuran una personalidad tal vez no tan atractiva como la del temperamento sanguíneo, no tan moderada como la del bilioso ni tan vivaz como la del nervioso, pero que puede tener igualmente una trayectoria eficaz.

La vertiente negativa de este temperamento implica, además de la existencia de los ítem grafonómicos expuestos, una letra muy pastosa, sucia y desordenada, con olvido de rasgos o partes de letra, en este caso por dejadez, no por precipitación. Toda esta conjunción de rasgos da lugar a un texto negativo que nos indica que estamos ante una persona olvidadiza, descuidada e ineficaz.

Por otra parte, con los ítem expuestos en el gráfico y en un texto valorado como negativo, tenemos a una persona fría, distante, a la que no le interesan las relaciones sociales, no se inmuta por nada (no es emotiva); por tanto, actúa siempre según sus intereses y conveniencia sin tener en cuenta a los demás. Su actuación no es tan firme ni decidida como la de un bilioso o sanguíneo sino más pasiva, y se dejará llevar por aquellas personas que le faciliten el camino para conseguir sus intereses.

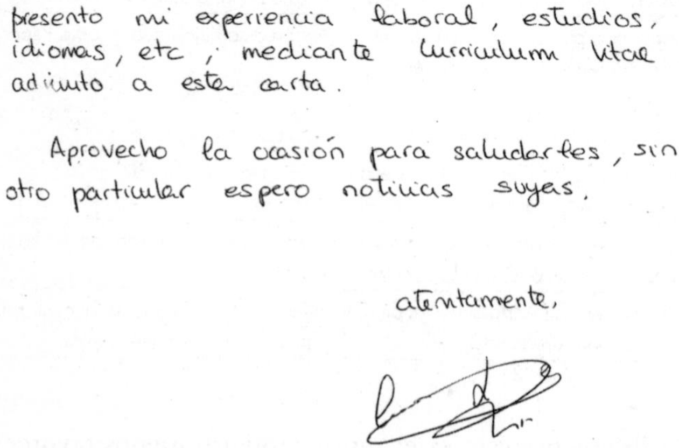

presento mi experiencia laboral, estudios, idiomas, etc, mediante curriculum vitae adjunto a esta carta.

Aprovecho la ocasión para saludarles, sin otro particular espero noticias suyas.

atentamente,

Figura 19. La forma de la letra es redonda, el tamaño medio y la inclinación invertida. La velocidad es entre pausada y lenta. La mayoría de las letras están cerradas. Todos estos aspectos se mantienen con una regularidad casi monótona. Todo esto, unido a la forma envolvente y laceada de la firma, indica la presencia del temperamento linfático. Éste es el grafismo de una persona con formación media que trabaja como administrativa.

En un texto positivo y, por tanto, en una persona adaptada al ambiente, esta adaptación o acoplamiento es total. La persona en la que predomina el temperamento linfático, si tiene cubiertas sus necesidades básicas, raramente aspirará a más, ya que ello implica esfuerzo y dedicación.

6.5. COMBINACIONES DE TEMPERAMENTOS

Las figuras anteriores son representativas de cada uno de los temperamentos, pero, tal y como se ha comentado, siempre hay un temperamento subdominante e incluso un tercer temperamento que de alguna manera tiene su incidencia. Por tanto, es conveniente conocer las peculiaridades que configuran determinadas combinaciones.

Cuando el temperamento *sanguíneo tiene como subdominante el bilioso* y, lógicamente, si el texto es positivo, esto determina una personalidad muy efectiva, si, además, se le une un alto potencial intelectual. Hay que tener en cuenta que son individuos idóneos para poner en práctica proyectos y que disponen, en general, de dotes de mando. En el caso de estar dentro de un claro texto positivo tienen unas grandes aptitudes de liderazgo.

Si el *subdominante del sanguíneo es nervioso*, hay que sumar variabilidad, exuberancia e inquietud. Por tanto, el comportamiento puede resultar especialmente vivaz y creativo con una proyección práctica y muy sociable. Dicha vivacidad también puede ser extrañamente variable e inconsistente, la creatividad puede ser dispersa y la sociabilidad, problemática. Por tanto, en este caso hay que tener especial cuidado con la valoración del texto positivo-negativo. Sobre todo, en el caso de evaluar a la persona para un determinado puesto de trabajo, hay que tener muy claras sus peculiaridades y el perfil del puesto.

Respecto a la combinación de *sanguíneo y linfático*, ésta suele ser bastante efectiva (siempre dentro de un texto positivo), ya que el linfático aporta continuidad y moderación al sanguíneo y éste aporta viveza, empuje y dinamismo al linfático. Ahora bien, hay que tener muy claro que no se trata de una cuestión de compensaciones, ni solamente de la valoración del texto, sino que además hay que estar muy atentos al simbolismo del espacio, ya que en muchas ocasiones se actúa como si sólo predominara un temperamento o como si predominara más el segundo, dependiendo de cuáles sean las motivaciones prioritarias del individuo.

La combinación entre *bilioso y sanguíneo* es como lo expuesto anteriormente pero al revés, si bien hay que tener en cuenta que siempre predominará la moderación del bilioso sobre la exuberancia del sanguíneo. Pero también hay que tener presente que, posiblemente, en cuestiones afectivas el bilioso se acerca más al comportamiento del sanguíneo, dependiendo, claro está, de las motivaciones o inquietudes que hayamos observado en el simbolismo del espacio.

Cuando en una persona se combina el *temperamento bilioso y nervioso*, esto da lugar a una personalidad efectiva (recordemos, siempre con texto positivo), ya que se produce una combinación similar a la del sanguíneo y bilioso, puesto que hay una compensación entre la moderación, sobriedad e incluso frialdad de uno y la variabilidad, inconsistencia, inquietud y demanda afectiva del otro. Además, a la creatividad del nervioso se le une la proyección práctica que aporta el bilioso.

Respecto al *bilioso con un subdominante linfático*, la combinación resulta algo parca, pero hemos de saber valorar que a la agilidad mental, precisión y firmeza del bilioso se le unen el método, la minuciosidad y la resistencia a la rutina del linfático. Ahora bien, esta combinación en negativo es francamente problemática, sobre todo en sus actitudes y conductas hacia los demás.

Las peculiaridades de las personas en las que se combinan el *nervioso y* el *sanguíneo* o el *nervioso y* el *bilioso* son similares a las ya expuestas en su versión al revés: *sanguíneo-nervioso*, *bilioso-nervioso*, siempre teniendo en cuenta cuál es el predominante, la valoración del texto en cuanto a positivo y lo observado respecto al simbolismo del espacio.

En la persona que tiene como dominante el *nervioso y como subdominante* el *linfático* la moderación, la tendencia a la rutina y la precisión del linfático atemperan la inestabilidad, la irregularidad en el ritmo de acción y la imprecisión y dispersión del nervioso. Esta combinación en un texto negativo da lugar a una personalidad difícil y en ocasiones conflictiva, debido a la escasa energía y falta de voluntad y a que la persona es influenciable, aspectos que comparten ambos temperamentos.

De nuevo, la combinación de *linfático-sanguíneo y linfático-bilioso* tiene muchas semejanzas con las ya expuestas en estas combinaciones a la inversa, sin olvidar que en este caso el temperamento predominante es el linfático. Ahora bien, la combinación del *linfático con* el *nervioso* merece una atención especial, puesto que —y esto se ha comprobado en muchas ocasiones— es la única combinación que siempre da una valoración negativa o al 50%, por lo que la valoración sigue siendo negativa. El hecho de que se unan comportamientos tan dispares en algunos aspectos —escasa emotividad, rutina y monotonía en uno y alta emotividad, variabilidad en ritmo y viveza en el otro—, y tan parecidos en otros, como la escasa energía e infuenciabilidad, da lugar a que en un individuo se produzcan comportamientos irregulares, indicativos de una difícil adaptación al entorno y a sí mismo.

6.6. MATIZACIONES SOBRE LOS TEMPERAMENTOS

Hay que tener presente que el nivel intelectual es independiente del temperamento que predomine en una persona. Hago esta observación porque, aunque en general tanto el temperamento bilioso como el sanguíneo suelen propiciar en las personas que lo tienen como dominante una trayectoria efectiva, ésta irá en función de su potencial intelectual, puesto que el solo hecho de tener una determinada tipología no aporta un nivel intelectual alto. Lo que sí aporta es un determinado tipo de intelecto, es decir, cuando en un individuo predomina el sanguíneo o el nervioso, estamos ante una persona muy ágil mentalmente; en cambio, si el que predomina es el bilioso, entonces, aunque tenga cierta agilidad, es más reflexiva y analítica. Por otra parte, si el temperamento que predomina es el linfático, los procesos mentales son lentos, pero no por ello menos eficaces que con una mente ágil.

Debemos tener claro que una persona en la que predomina el temperamento linfático puede tener un potencial intelectual más alto que otra en la que el temperamento dominante es el sanguíneo o el bilioso, ya que lo que varía es el tipo de intelecto, no el nivel.

Insisto en esto porque se tiende a valorar negativamente al nervioso y linfático, no sólo en el plano intelectual, sino también en los otros planos. Respecto a las personas con dominante nervioso, es necesario apuntar que suelen ser muy creativas en cualquier ámbito, ya sea en la música, en la pintura o en las artes escénicas, y no sólo son capaces de desarrollar su creatividad en esos campos, sino que son personas que utilizan esa creatividad en su desenvolvimiento profesional, incluso en la vida cotidiana. Al mismo tiempo, muchas personas que se dedican a las artes escénicas también tienen como dominante el temperamento linfático; su capacidad memorística, sus dotes de observación y su habilidad para imitar les son muy útiles en este ámbito, así como también son adecuadas para el mundo de la política y la diplomacia. Todo dependerá siempre de su nivel intelectual, sin olvidar nunca la evaluación del texto en cuanto a positivo o negativo.

No es muy habitual encontrar en las artes escénicas personas con un dominante bilioso, pero igualmente las hay, y más de lo que podemos pensar, ya que si el subdominante es nervioso o incluso linfático, puede desenvolverse en este ámbito con facilidad.

Hago estas matizaciones no sólo para que queden claras, sino también porque los detractores de emplear la tipología temperamental tienden a acusar de determinismo a los que la usan. Creen que al otorgar a un individuo una determinada combinación temperamental se le encasilla en un comportamiento y en determinadas aptitudes de las que ya no puede desprenderse.

Nada más lejos de la realidad; simplemente se trata de establecer unos parámetros de conducta y una serie de aptitudes que son más afines a esas personas, pero que no determinan de modo fatalista su conducta, ya que en esa conducta intervienen otros factores, como las motivaciones de cada uno, que, aunque están condicionadas en cierta manera por la combinación temperamental, no son inseparables de la misma. Por otra parte, y éste es un factor que hay que tener en cuenta, el medio donde se desenvuelve el individuo influye de forma inequívoca en su carácter, así como en su trayectoria personal y en todas las circunstancias y situaciones que vive. Por tanto, dos personas con la misma combinación temperamental pueden tener una trayectoria completamente diferente en función de sus circunstancias y del ambiente en el que se han movido.

Al principio del libro decía que la grafología atrae y después engancha porque proporciona las herramientas necesarias para comprender los comportamientos de otras personas e incluso los nuestros. Pues aquí están esas herramientas, en las combinaciones temperamentales. Mediante el análisis de la letra de una persona podemos llegar a la conclusión de que en ella predomina una determinada combinación temperamental, lo cual ayuda a entender por qué se comporta de una manera y no de otra, por qué es tan rápida en sus acciones y reacciones, impulsiva, vivaz y hasta absorbente, en el caso de que su temperamento dominante sea el sanguíneo. También ayuda a ser más comprensivo ante actitudes variables, muy emotivas o imprevisibles, o ante un retraimiento si el análisis de esa persona da como resultado que el temperamento nervioso es el más destacado. De la misma manera, tal vez haya una mayor aceptación de la actitud sobria, reflexiva e incluso fría que puede tener un individuo en el que el temperamento dominante es el bilioso. Y, por último, podremos compremder el ritmo lento y la realización precisa y detallada de un linfático.

Es evidente que todo esto dependerá de cuál sea la combinación temperamental de quien lea el resultado del estudio grafológico, ya que, dependiendo de su propia combinación, se identificará con unos determinados comportamientos y, por tanto, los justificará y con otros, en cambio, su juicio será más severo. No obstante, a partir de ese estudio verá de forma más evidente no sólo el comportamiento de la persona analizada, sino también el motivo de ese comportamiento.

que me casado hasta ahora, y a veces me
esfuerzo, con el gran deseo de una vida
matrimonial plena de felicidad.

Figura 20. La inclinación a la derecha y la rapidez del grafismo, la forma curvilínea y la proyección de las jambas, así como la extensión del grafismo, son un claro exponente del predominio del temperamento sanguíneo. Como subdominante está el bilioso, que se refleja en el tamaño moderado y, a pesar de la proyección de las jambas, en la sobriedad del grafismo y también en la situación (en el centro) y simplificación de la firma (es legible, por lo que está borrada). La escritura pertenece a un sacerdote católico.

El hecho de desarrollar una vida familiar no
imposibilita el ejercicio profesional. Desarrollar
una profesión es necesario, si para ello te has
formado, y obligatorio para contribuir a la
"riqueza" de toda sociedad y a la vez, es el
modelo que deseo ofrecer a mis hijos.
Profesionalmente, espero desarrollar lo aprehendido
y aprender a la vez, día a día, en el puesto de
trabajo en el que esté, aprovechando las oportuni-
dades que se presenten y esforzándome por conseguir "crecer" también en mi carrera profesional

Figura 21. El texto es vertical y de tamaño moderado. Hay gestos a la derecha y es sobrio, rasgos propios del temperamento bilioso. Como subdominante está el linfático, que se aprecia en la forma redonda de la letra, en la regularidad y en que toda ella está cerrada. Por otra parte, en la firma se aprecia sobriedad y es legible (está eliminado el nombre). Hay un gesto envolvente, típico del linfático. Se trata del grafismo de una licenciada en Economía que trabaja como analista financiera.

Demà si fa bon dia anirem a buscar bolets. De totes maneres no veig que al final puguem anar-hi perquè el temps no acompanya gaire i a més no tenim cistell. En fi un desastre.

Avui tampoc hem pogut fer la ruta amb bici que havíem previst, també per culpa del temps. Si segueix així ens passarem el pont del pilar tancats a casa. És clar que també hi ha coses per fer a casa: llegir un llibre, veure una pel·lícula, fer un pastís, penjar un quadre o jugar al parxís.

Figura 22. En este texto hay un claro dominio del temperamento nervioso. La letra es pequeña, rápida, movida y simplificada. Como subdominante está el bilioso: el grafismo es sobrio, cerrado y vertical en general. La firma está algo entretejida (nervioso), está situada en el centro (bilioso) y es algo ampulosa (única presencia del sanguíneo como tercer temperamento). Es de un ingeniero industrial superior que desarrolla su actividad laboral en el departamento de producción de una empresa del sector automovilístico.

Por mi formación y experiencia profesional me considero suficientemente preparada para participar en las correspondientes pruebas de selección.

A la espera de sus noticias, les saluda atentamente,

Figura 23. El estilo caligráfico, la regularidad en cuanto a forma, inclinación y tamaño, así como el hecho de que la letra esté cerrada y la posición de algunas barras de «t» son un claro exponente del temperamento linfático. Por otra parte, la ampulosidad de las mayúsculas, la proyección de algunas jambas y el tamaño de algunas barras de «t» son propias del sanguíneo, a lo que se une la ampulosidad de la firma y su tamaño. La forma redonda y envolvente de la misma es propia del linfático. Se trata de la escritura de una persona con formación media que ejerce como secretaria administrativa.

Ejercicio

Reunir grafismos de diferentes personas, observar los rasgos y situarlos en una determinada combinación. A continuación, intentar cotejar con los interesados esas valoraciones para corroborar los resultados.

7
LA HUELLA GRÁFICA: LA FIRMA

Firmar es sinónimo de «corroborar», de «reafirmar». Con el gesto de la firma se da fe de que lo que se ha puesto antes en un papel lo corrobora quien lo firma. No somos conscientes de la cantidad de veces que hacemos ese gesto espontáneo que tanta importancia reviste. Lógicamente, hay personas que lo realizan con mucha más frecuencia que otras: los empresarios y los altos ejecutivos, así como muchos otros empleados, estampan continuamente su firma en una gran cantidad de documentos. Muchos comentan que son tantas las veces que hacen ese gesto que al final ya no saben ni lo que ponen y que su trazo varía, en ocasiones porque la postura al momento de firmar es incómoda (de pie, sobre una base blanda o rugosa, etc.). Aun así, la mayoría sabe reconocer su firma y rápidamente se da cuenta de cuándo una firma no es suya.

No entro aquí en todo lo que hace referencia a la pericia caligráfica, técnica paralela a la grafología pero con objetivos muy diferentes, ya que la pericia caligráfica es simplemente el sistema utilizado para autentificar una escritura, lo cual se hace mediante un dictamen pericial caligráfico. En ese caso es imprescindible un conocimiento profundo de la grafonomía, pero no es necesario hacer una interpretación grafopiscológica.

¿Por qué, generalmente, nos resulta tan fácil identificar nuestra firma? Porque es un gesto espontáneo y, a pesar de lo elaboradas e incluso complicadas que son algunas, su autor la realiza de forma rápida sin apenas detenerse a pensar en lo que está haciendo. La firma está tan asumida que cualquier ligera variación, a pesar de que se producen variaciones en firmas realizadas por el mismo individuo, alerta cuando no encaja con la idiosincrasia de esa firma y es su autor el único que suele darse cuenta de esa diferencia. Es sorprendente poder seguir en directo el dibujo de una firma, puesto que a veces la progresión de ese dibujo se aparta de toda lógica y se siguen unas pautas que están muy alejadas de lo que podemos pensar. He visto a personas que realizan primero la inicial del nombre, luego dejan un espacio, hacen la del apellido y después completan el nombre y el apellido, y en medio de esa realización inician la rúbrica. Así pues, la tarea de los peritos a la hora de describir detalladamente el recorrido de una firma presenta serias dificultades.

En la firma están condensados todos los aspectos gráficos de nuestra letra, todos los géneros. A pesar de la diversidad que puede existir entre el texto y la firma de una misma persona, los géneros gráficos se repiten. Es fácil observar con claridad la combinación temperamental que ya se ha evaluado en el conjunto del texto. En concreto, en la firma han de verse reflejados con claridad los temperamentos del sujeto analizado, y posiblemente el único que no aparezca o tenga una menor presencia es el que se ha observado que también tiene una menor presencia en el grafismo. Por tanto, si hemos hallado en el conjunto del texto la presencia de la combinación sanguíneo-bilioso, estos dos temperamentos se tienen que ver con claridad en la firma.

Por ejemplo, si en el texto hemos apreciado una combinación de nervioso-linfático, los trazos angulosos con un ángulo crispado y entretejidos, en forma vertical (propios del temperamento nervioso), estarán envueltos con un trazo amplio y redondo en forma circular (propio del temperamento linfático).

Figura 24. En esta firma se aprecia la combinación de sanguíneo y nervioso.

Figura 25. En esta firma se observa claramente un temperamento linfático y nervioso.

Figura 26. En esta firma todavía es más clara la existencia de los temperamentos sanguíneo y nervioso.

Figura 27. La sobriedad, simplificación y angulosidad del trazo indican la presencia de una combinación de nervioso y bilioso.

Por consiguiente, a pesar de las diferencias que puede haber entre las firmas de una misma persona —no sólo las diferencias habituales que se producen en la evolución, sino también las que pueden surgir entre dos firmas hechas en el mismo momento o en un intervalo de tiempo muy reducido—, los géneros gráficos coincidirán, de la misma manera que encontraremos la misma combinación temperamental. En realidad, el género que puede presentar más variaciones es la forma, ya que puede variar bastante e incluso puede faltar algún trazo. Aun así, no cambia el hecho de que dicha forma sea angulosa o redonda. También puede variar el tamaño por una razón de espacio, pero difícilmente variará la presión, aunque quizás aparezca algún temblor o torsión motivado por la base donde se apoya el papel o la mala postura de quien realiza la firma. Asimismo, difícilmente variará la inclinación y la velocidad.

Por tanto, está claro que la firma es un gesto identificativo que acompaña al individuo a lo largo de su vida y que evoluciona de la misma manera que el resto del grafismo.

Si la forma de las letras resulta atractiva por su variedad de dibujos, aún resulta más atractiva la firma, que es lo que habitualmente suele trazar ante el grafólogo cualquier profano en la materia, ya que cree que con ese solo trazo se puede describir su personalidad.

Es verdad que la firma es identificativa de la personalidad del individuo, incluso se ha asociado a la huella dactilar, pero hay que tener presente que la firma es una parte más del análisis grafológico y que tan incompleto es un análisis realizado únicamente a partir de la firma como uno efectuado a partir de un texto sin firma.

La firma es representativa del «yo íntimo», pero el conjunto de un individuo es su «yo» y su proyección en el entorno; por tanto, la interactuación de ambos aspectos sólo se puede evaluar desde la visión conjunta que aporta un grafismo y su firma.

¿Por qué la firma es el gesto gráfico más identificativo de la personalidad del individuo? Principalmente porque es el más espontáneo, porque se realiza sin pensar. La mayoría de las veces, sea legible o no, no se valora si es estéticamente agradable, como ocurre con la letra. Aunque, lógicamente, es un gesto gráfico en el cual se hallan los mismos aspectos que en el resto del grafismo, en el momento de elegir cómo hacer la firma se da total libertad para adoptar un trazado, y éste suele acompañar durante toda la vida a la persona que lo ha adoptado. En realidad, esto último no es del todo cierto, ya que la firma evoluciona igual que el grafismo o al menos así debería evolucionar.

Si revisamos documentos antiguos en los que está estampada nuestra firma, lo más probable es que encontremos diferencias y variaciones, que son más visibles y frecuentes durante los primeros años y sobre todo durante la adolescencia. En esa etapa se suele optar por firmas extrañas y complicadas que con los años se van suavizando. Es como si la maraña de ideas, de conflictos y de dudas propia de esa etapa se fuera deshaciendo y poco a poco fuera quedando una firma menos complicada.

No obstante, es muy frecuente encontrar firmas a cualquier edad cuyo dibujo es francamente difícil y elaborado, y tratar de describirlo, como ya he dicho anteriormente, e incluso de imitarlo presenta serias dificultades.

La importancia de la firma radica en varios puntos:

- Las posibles diferencias que se observen entre la firma y el texto analizado.
- La situación de la firma en el papel y en relación con el texto.
- La forma, el trazado y el recorrido de la firma.

Si recordamos los ítem del texto positivo, en último lugar se evalúa si la firma es similar al texto, de la misma forma que en el último ítem del texto negativo se puntúa si la firma es diferente del texto. Por tanto, está claro que una firma muy diferente al texto tiene un valor negativo. Pero hay que tener presente que es un ítem más de la valoración y que no podemos valorar el texto como negativo basándonos sólo en esa diferencia.

¿Por qué la diferencia entre el texto y la firma tiene esa interpretación negativa? Dicha interpretación se debe a que el texto indica cómo se muestra o manifiesta una persona en su entorno y a que la firma muestra cómo es realmente. Es lógico llegar a la conclusión de que, cuando entre texto y firma hay considerables diferencias, las hay también entre cómo es una persona y cómo se muestra o actúa. ¿Significa esto que dichas diferencias implican una actuación conflictiva o problemática?

No necesariamente, pero lo que sí hay es una falta de claridad, de transparencia, ya que si alguien actúa de forma muy diferente de como realmente es, eso implica algún tipo de ocultación, o al menos la intención de dar, por el motivo que sea, una imagen diferente a la verdadera.

Una vez observada esta diferencia, las diversas partes del análisis y, especialmente, el simbolismo del espacio deben darnos la explicación de esa diversidad entre la auténtica forma de ser de una persona y su comportamiento.

No obstante, hay que saber distinguir entre una firma ilegible, por rapidez o simplificación, y una firma en la que se observan diferencias notorias en cuanto a los géneros gráficos. Por ejemplo, se pueden encontrar firmas muy simplificadas en las que sólo se identifica una inicial y después unos rasgos que, por ser filiformes, dificultan la legibilidad, pero la presión, dirección, tamaño, inclinación y la mayoría de géneros gráficos son los que ya se han evaluado en el texto. Ahora bien, en el momento en que hay notorias diferencias, sobre todo en lo que se refiere a velocidad (la firma es más rápida o más lenta que el texto), presión, inclinación, tamaño y otros aspectos, y principalmente en el momento en que hay formas muy elaboradas y envolventes, entonces sí que estamos ante una firma diferente al texto.

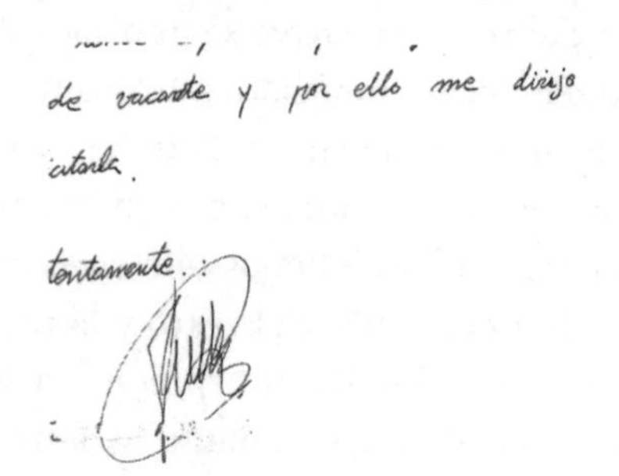

Figura 28. La dirección y presión son iguales en el texto y en la firma, pero el tamaño de las grafías de la firma es superior al tamaño de las grafías del texto, y la forma es angulosa. También la proyección hacia la zona baja es más evidente en la firma que en el texto. Por otra parte, el gesto envolvente y los entretejidos configuran una elaboración que contrasta con la sencillez del texto. Todo ello da lugar a que se valore como una firma diferente al texto.

La situación de la firma en el papel es un dato muy importante, si bien en muchas ocasiones está desvirtuado por determinadas circunstancias. Puesto que depende del documento sobre el que realizamos el análisis, es muy útil practicar el análisis sobre una hoja de papel sin pautas y en la que el autor puede firmar libremente, sin indicaciones sobre el lugar donde debe estampar la firma. Aun así, muchas personas sitúan la firma al final de sus escritos o cartas dependiendo de las modas. Últimamente, debido a que se adopta el modelo anglosajón y a la influencia del correo electrónico, se tiende a firmar a la izquierda. No obstante, éste es un dato más de la persona analizada, ya que sugiere que es susceptible de cambiar sus hábitos o de seguir con facilidad las modas.

Por tanto, insisto, es de gran utilidad poder analizar escritos o cartas que estén firmados, donde el autor haya tenido la libertad y el espacio suficiente para estampar su firma donde haya querido. Es curioso observar cómo hay quien firma rozando el texto, casi sobre el mismo, a pesar de tener espacio suficiente para firmar sin tocarlo. Por el contrario, hay quien estampa su firma muy lejos del texto y, por tanto, deja un espacio en blanco muy grande. En el primer caso, estamos ante una persona que no tiene muy en cuenta las formas de comportamiento y, sobre todo, que no tiene muy en cuenta a los demás, ya que, si invade su propio terreno, que es el texto que él mismo ha escrito, menos reparos tendrá en invadir el de los demás. En el caso de la firma alejada del texto, es propio de personas que rehúyen el contacto y evitan las relaciones.

Sobre la forma y recorrido de la firma, hay que basarse en las mismas leyes que para el texto. A mayor elaboración, trazo y recorrido complicado y formas extrañas, mayor elaboración y complicación en las actitudes y comportamiento de la persona analizada. Cuanto más sobria, sencilla y simplificada sea la firma, más sobria, sencilla y clara será la persona.

No obstante, sobre esto hay matices, como siempre en grafología, ya que nada es tan sencillo, puesto que en muchas ocasiones las personas son complejas y, por tanto, como repito continuamente, un rasgo aislado nunca es determinante de nada.

En cuanto a la sencillez de las firmas, hay que hacer la salvedad de que, como en el grafismo, puede venir dada por una falta de cultura gráfica del individuo. Si la persona ha aprendido a escribir lo justo, ya sea por su escasa formación o por su escaso desarrollo laboral, se limitará a las formas aprendidas en la escuela y apenas evolucionadas. Esto también se aplica al trazado de la firma. Estamos hablando de esas firmas en las que suelen aparecer el nombre y los apellidos y una sencilla rúbrica.

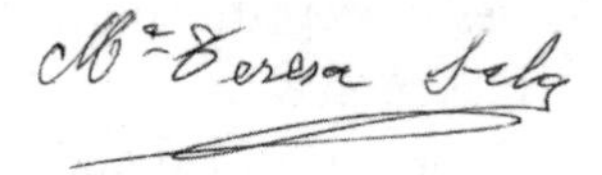

Figura 29. El nombre, el primer apellido y una sencilla rúbrica indican que hay una escasa soltura gráfica.

Figura 30. Aunque la letra y el grafismo avanzan con soltura, la rúbrica es elaborada, lo que retarda el ritmo global.

Cuando hablo de sencillez y sobriedad en la firma, me refiero a firmas de personas con un nivel académico alto y con un desarrollo profesional, las cuales tienen una firma en las que en ocasiones aparece la inicial del nombre y el apellido sin apenas rúbrica o con un ligero subrayado (véanse las figuras 10 y 17).

También es habitual que personas que deben firmar muchos documentos acaben haciendo firmas muy sobrias, de trazos rápidos y simplificados. En estos casos, si es posible, es aconsejable solicitar a la persona que se somete al análisis que realice la firma más familiar, la íntima. Puede ocurrir que esa persona tenga tan integrada su vida profesional en su vida privada que haya asumido totalmente esa firma simplificada, la firma «profesional», y ya no tenga otra, lo cual no deja de ser un dato que hay que tener en cuenta a la hora de realizar el análisis. Pero si no es así, es conveniente ver las dos firmas.

Respecto a las firmas, los casos son muy variados. Las razones que las personas dan sobre por qué eligieron su firma, por qué la han modificado o por qué firman de diferentes maneras según la ocasión en que se encuentran son tan variadas y curiosas como todo lo que se refiere al mundo de las personas, y por años que pasen, siempre me encuentro ante situaciones sorprendentes.

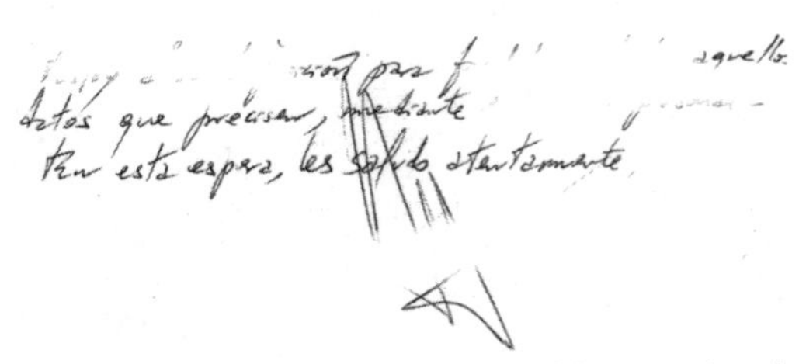

Figura 31. El dato más significativo es la invasión del texto. Si bien la firma es ilegible, los géneros gráficos son los mismos que los del texto. Se observa la misma presión, angulosidad y rapidez en el trazo.

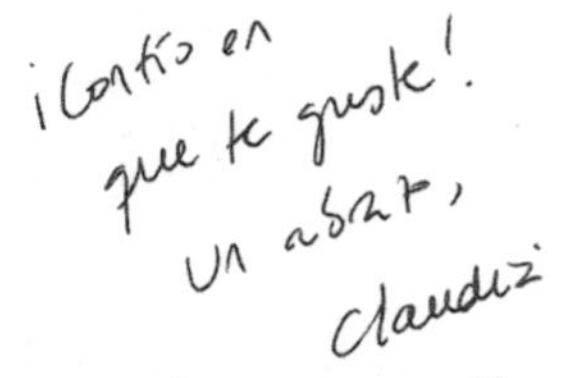

Figura 32. En este caso no se observa ninguna diferencia entre el texto y la firma. En ambos casos la letra es sobria y simplificada, y la velocidad, entre ágil y pausada.

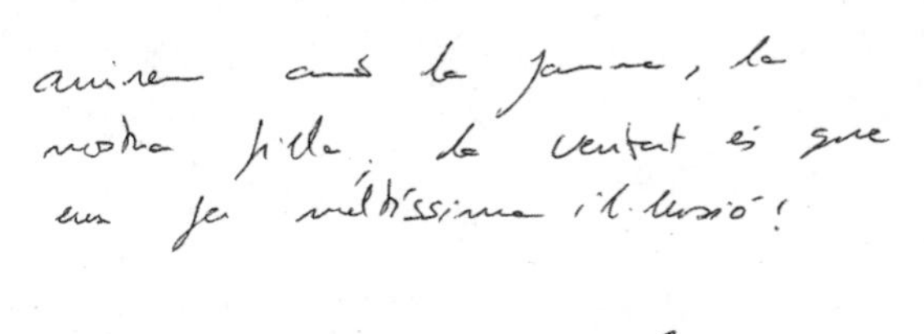

Figura 33. el texto y la firma mantienen la misma variabilidad en la inclinación. La presión es la misma y la forma es variable y filiforme, lo cual hace que sea algo ilegible.

CONCLUSIÓN

Aprender grafología es el título del libro, y no sé si al finalizar su lectura el lector habrá aprendido algo, aunque confío en que así haya sido. Espero que al menos haya adquirido un conocimiento de cómo es la estructura de esta técnica. En este libro no está todo el conocimiento de la grafología, sino que se trata tan sólo de una aproximación, aunque muy cercana.

A pesar de que, como ya he dicho, no están aquí todos los temas de estudio, los que faltan sirven más que para profundizar, para obtener otros elementos que corroboren lo ya visto en estos primeros datos. Algunos de los elementos de análisis que no he aportado aparecen en mis dos libros anteriores, y la verdad es que me molesta repetirme, aunque he hablado sobre los elementos básicos en todos mis libros. Por tanto, quien desee obtener más información puede recurrir a esos libros.

No obstante, y esto es lo más importante, con los datos expuestos se puede hacer el análisis de una letra con total garantía, ya que son los básicos e imprescindibles para describir a una persona en toda su amplitud, desde su intelecto hasta su carácter, abarcando todos los aspectos del mismo: sociabilidad, afectividad y sexualidad.

El proceso de análisis sigue el mismo orden que he dado a los capítulos, pero con ligeras variaciones:

- *Primero*: hacer la valoración de texto positivo-negativo y de las facultades intelectuales.
- *Segundo*: hacer la evaluación de la libido.
- *Tercero*: situar el simbolismo del espacio del grafismo.
- *Cuarto*: valorar las letras como complemento de las anteriores evaluaciones.
- *Quinto*: valorar la combinación temperamental.
- *Sexto*: analizar la firma por sí sola y en relación con el texto.

Todo esto tiene que ir acompañado de una buena asimilación y apreciación de los géneros gráficos.

Si se siguen estos pasos, la visión sobre la personalidad del individuo analizado será completa. ¿Cómo trasladar esto a un informe? Primero hay que valorar cada uno de estos pasos y saber dónde deben encajarse.

Si recordamos el capítulo donde se exponían qué elementos contiene un informe, veíamos que lo dividía en los siguientes apartados:

- Facultades intelectuales.
- Carácter.
- Comportamiento social.
- Afectividad.

Así pues, tenemos que saber en cuál de estos cuatro apartados se debe incluir cada uno de los parámetros del análisis.

1. Facultades intelectuales:

- *Texto positivo-negativo*: claridad o confusión mental.
- *Temperamento*: tipo de intelecto, más/menos creatividad.
- *Simbolismo del espacio*: inquietudes, fantasía, idealismo. Aplicación y desarrollo intelectual.
- *Letras*: letra «d», «f» y otras, así como observar los óvalos para ver la necesidad o no de comunicación intelectual.

2. Carácter:

- *Texto positivo-negativo*: adaptación o no al entorno.
- *Libido*: capacidad energética, ritmo de actividad, resistencia a la frustración. Estado anímico, etc.
- *Simbolismo del espacio*: objetivos y motivaciones, puesta en práctica de ideas y proyectos.
- *Temperamento*: tipo de actitudes, reacciones, emotividad, etc.
- *Letras*: como complemento y ampliación, tipo de criterios, dotes de mando, etc.
- *Firma*: autovaloración, elaboración en las actitudes, diferencia o no entre el «yo» íntimo y su manifestación.

3. Comportamiento social:

- *Texto positivo-negativo*: relación social con o sin dificultades. Capacidad de adaptación.
- *Libido*: energía y seguridad en el desenvolvimiento social.
- *Simbolismo del espacio*: motivación por la relación.
- *Temperamento*: actitud en la relación.
- *Letras*: tamaño y abertura de los óvalos, formas de algunas letras, presencia de bucles o letras secas.
- *Firma*: ampulosidad o diferencias entre texto y firma.

4. Afectividad:

- *Texto positivo-negativo*: relación afectiva con o sin dificultades. Capacidad de adaptación.
- *Libido*: firmeza y seguridad en la relación.
- *Simbolismo del espacio*: motivación por la relación, comunicación afectiva.
- *Temperamento*: actitud en la relación.
- *Letras*: forma de «r» y «g». Letras con bucles o secas, tamaño de las letras.
- *Firma*: diferencias entre texto y firma.

Ahora bien, trasladar toda la información recogida después de hacer el análisis a un informe resulta bastante difícil y complejo. Hay que tener en cuenta que parte de esa dificultad radica en la mayor o menor facilidad que puede tener una persona a la hora de redactar, y esto ya no forma parte de la técnica grafológica. ¿De qué manera se puede adquirir esa facilidad para el redactado? Pues redactando. Tal como decía en mis otros libros, la mejor manera de aprender es formarse en los cursos de algún profesional, aunque esto tampoco es garantía de aprender a hacer informes, puesto que en muchos de esos cursos esta parte práctica no se realiza. Lo importante es «trabajar», ver muchas letras. La mayoría de las personas que se acercan al estudio de la grafología confían en que asistiendo a clases y leyendo libros van a aprender, pero esto no es suficiente. Es necesaria la formación directa y la complementación con la lectura, aunque esto también debe complementarse con la práctica, que consiste en analizar letras. Ésta es la única manera de aprender: equivocarse en un análisis y volver a hacerlo, desesperarse porque un día no salen las palabras y un informe no progresa, y en otras ocasiones sentir que se está escribiendo una novela porque el informe se hace demasiado largo e incluso especulamos diciendo cosas que no siempre sabemos por qué se dicen, aunque, si las razonamos, entonces hallamos la explicación lógica. Trabajar y ver letras, analizarlas y hacer muchos informes, gratis si es necesario (así siempre hay voluntarios), es la única forma de aprender.

Hace muchos años, cuando empezaba, una persona me dijo que yo era muy valiente, incluso atrevida, por hacer análisis sin tener experiencia. Yo le comenté: «¿Y cómo voy a adquirir experiencia si no hago ninguno?». Un análisis grafológico, acertado o equivocado, no implica nada negativo ni positivo. Solamente tiene riesgos si se actúa profesionalmente, pero, para llegar a actuar así, hay que practicar y hacer muchos análisis a parientes, amigos y conocidos.

Así pues, animo a todos los que lean este libro a que se decidan y se ofrezcan para analizar cualquier letra, cartas y escritos, incluso de personas ya fallecidas. Es interesante descubrir mediante la grafología el carácter de esas personas. En una ocasión, después de hacer un análisis así, la persona que me confió los escritos de un pariente me dijo que ese estudio le había servido para entender situaciones que habían tenido lugar en la familia.

Las aplicaciones de esta técnica, como decía al principio del libro, son muchas y diversas. Sólo tenemos que confiar en que se siga escribiendo a mano, en que la tecnología no vaya sustituyendo este gesto tan personal y espontáneo que sigue atrayéndonos. De alguna manera, me siento reconfortada cuando veo a aficionados de cualquier ámbito solicitando la firma de sus ídolos, ya sean deportistas, cantantes o actores.

El hecho de que se siga manteniendo la ilusión por tener la imprenta gráfica de una persona, por poder decir: «Mira qué firma tengo, es de Fulanito de tal», es una manera de que se mantenga el gusto por la letra escrita a mano. Si la forma de escribir de alguien despierta interés, aun sin saber nada de grafología, y hay quien se pregunta: «¿Por qué escribe así?» o dice: «¡Qué letra más bonita!» o «¡Qué letra tan rara!», mientras alguien haga estas observaciones, es que se sigue escribiendo a mano y, mientras se escriba así, habrá estudios grafológicos.

BIBLIOGRAFÍA

Faideau, Pierre, *La graphologie, Mis en oeuvre*, París, M. A. Éditions, 1989.

Gaur, Albertine, *Historia de la escritura,* Madrid, Fundación Germán Sánchez Ruipérez, 1990.

Gauquelin, Michel, *Conocer a los otros,* Bilbao, Mensajero, 2001.

Hughes, Albert E., *Lo que revela su escritura,* Madrid, Edad, 1977.

Manguel, Alberto, *Una historia de la lectura,* Barcelona, Lumen, 2005.

Martínez, Santiago, *Colección de apuntes,* 1991, inédito.

Mellado, D., *Colección de apuntes,* 1981, inédito.

Nuttin, J., *La Structure de la personnalité*, París, P.U.F., 1965, pág. 75 (trad. cast.: *La estructura de la personalidad*, Buenos Aires, Kapelusz, 1968).

Ras, Matilde, *Grafología*, Madrid, Labor, 1942.

—, *La inteligencia y la cultura en el grafismo,* Madrid, Labor, 1945.

Vels, Augusto, *Escritura y personalidad*, Barcelona, Miracle, 1975.